Anthony de Mello, S.J.

SADHANA

Un chemin vers Dieu

Anthony de Mello, S.J.

SADHANA

Un chemin vers Dieu

Traduit de l'anglais par L.-B. Raymond, S.J.

LES ÉDITIONS BELLARMIN
8100, boulevard Saint-Laurent, Montréal
1983

Dépôt légal — 1er trimestre 1983

Bibliothèque nationale du Québec
ISBN 2-89007-491-9

INTRODUCTION

Comme directeur de retraites et conseiller spirituel, depuis quinze ans j'aide les gens à prier. Plusieurs se sont plaints à moi de ne pas savoir comment prier, de ne faire aucun progrès dans la prière malgré tous leurs efforts, ou de n'y trouver qu'ennui et frustration. Bien des directeurs spirituels m'ont avoué qu'ils se sentent impuissants quand ils ont à enseigner comment prier, ou, plus exactement, comment recueillir de la prière contentement et satisfaction.

J'en suis toujours d'autant plus étonné qu'il m'a été relativement facile d'aider les gens à prier. Non pas que je possède quelque charisme personnel, mais parce que je m'inspire de théories fort simples pour ma vie de prière à moi et pour guider les autres dans le domaine de la prière. D'après l'une de ces théories, la prière est un exercice qui procure un contentement et une satisfaction qu'il est tout à fait légitime d'y chercher. Une autre théorie enseigne que l'on prie moins avec sa tête qu'avec son cœur. De fait, plus tôt la prière s'éloignera de la tête et du raisonnement, plus elle aura de chances de devenir agréable et profitable. La plupart des prêtres et des religieux confondent prière et raisonnement : de là vient leur échec.

Un ami jésuite m'a raconté un jour qu'il avait eu recours à un gourou hindou pour s'initier à l'art de la prière, et que celui-ci lui avait dit de concentrer son attention sur sa respiration. Après que mon ami l'eut fait pendant environ cinq minutes, le gourou lui dit : « *L'air que vous respirez, c'est Dieu. Vous aspirez et expirez Dieu.* Prenez-en conscience, et à jamais. » Mon ami, après avoir quelque peu aligné cette affirmation sur sa théologie, pendant des heures, jour après jour, a mis ces conseils en pratique, et il a découvert, à son grand étonnement, qu'il était aussi simple de prier que d'aspirer et d'expirer. Et il a perçu dans cet exercice une profondeur, un contentement et une nourriture spirituelle que, durant des années, des heures et des heures consacrées à la prière n'avaient pu lui procurer.

Les exercices que je propose dans cet ouvrage s'apparentent fort à la conception de ce gourou hindou que je n'ai jamais rencontré et dont je n'ai pas entendu parler depuis. Je professe également maintes théories au sujet de la prière, mais je n'en parlerai qu'à propos des exercices qui vont suivre, pour expliquer comment ces théories sont à la base de ces exercices.

Il m'est arrivé souvent de proposer ces exercices à des groupes que j'appelle *groupes de prière,* ou plus exactement, *groupes de contemplation.* Car, contrairement à ce qu'on pense d'ordinaire, il existe une contemplation de groupe. Et de fait, dans certaines circonstances, la contemplation se pratique avec plus de profit en groupe qu'individuellement. J'ai décrit ces exercices dans le présent ouvrage presque de la même manière et dans les mêmes termes que je les propose à des groupes. Si vous avez l'intention de l'utiliser pour animer un groupe de contemplation, vous n'avez qu'à lui lire lentement le texte de chaque exercice et à lui faire suivre les instructions qui s'y trouvent. Il est évident que cette lecture doit être faite lentement, en multipliant les pauses, surtout là où figurent des points de suspension.

La simple lecture de ce texte à d'autres ne saurait faire de vous un bon animateur de groupe de contemplation. Il faudra en outre que vous soyez vous-même une sorte d'expert en contemplation, que vous ayez fait l'expérience de quelques-unes de ces choses que vous lisez aux autres, et acquis du savoir-faire dans l'art de la direction spirituelle. Ces exercices ne sauraient remplacer l'expérience personnelle et la compétence spirituelle. Mais ils pourront vous fournir un bon point de départ, et sûrement vous profiter à vous et à votre groupe. J'ai veillé à exclure de cet ouvrage les exercices qui exigeraient les conseils d'un spécialiste de la prière. Et si l'un de ces exercices risquait de causer quelque tort, je verrai à le signaler et à indiquer comment éviter celui-ci.

Ce livre, je le dédie à la Bienheureuse Vierge Marie qui a toujours été pour moi un modèle de contemplation, et bien davantage : c'est par son intercession, j'en suis convaincu, que moi-même et bien des personnes que j'ai conseillées, nous avons obtenu pour la prière des grâces que nous n'aurions jamais acquises autrement. Voilà donc un premier conseil que je vous donne, si vous songez à progresser dans l'art de la contemplation. Recherchez son patronage et demandez son intercession avant de vous engager dans cette voie. Elle a reçu le charisme d'attirer l'Esprit Saint sur l'Église, comme elle l'a fait lors de l'Annonciation et au jour de la Pentecôte qui l'a vue en prière avec les Apôtres. Si vous obtenez qu'elle prie avec vous et pour vous, vous aurez tout lieu de vous en réjouir.

LA PRISE DE CONSCIENCE

Premier exercice: La richesse du silence

«La grande grande révélation, c'est celle du silence», a dit Lao-tseu. Nous avons coutume, et avec raison, de voir dans l'Écriture la révélation de Dieu. Je voudrais maintenant que vous découvriez la révélation que nous procure le silence. Pour accueillir la révélation que l'Écriture vous offre, vous devez vous exposer vous-mêmes à l'Écriture. Pour accueillir la révélation qu'offre le Silence, vous devez d'abord parvenir au silence. Ce qui n'est pas facile. Dans notre tout premier exercice, essayons-nous-y.

> Je demande à chacun de vous de prendre une posture confortable. Fermez les yeux. Je vais maintenant vous inviter à demeurer silencieux pendant dix minutes. Vous allez tout d'abord essayer d'atteindre un silence, aussi total que possible, du coeur et de l'esprit. Une fois ce silence atteint, vous vous exposerez à quelque révélation qu'il vous procure.
>
> Au bout de dix minutes, je vous inviterai à ouvrir les yeux et à partager avec nous, si vous le désirez, ce que vous avez fait et expérimenté durant ces dix minutes.

. . . .
. . . .
. . . .

En faisant part aux autres de ce que vous avez fait et de ce qui vous est arrivé, racontez-nous les efforts que vous avez faits pour parvenir au silence et dites-nous dans quelle mesure vous avez réussi. Décrivez ce silence, si vous le pouvez. Dites-nous ce que vous avez expérimenté durant ce silence. Dites-nous tout ce que vous avez pensé et senti durant cet exercice.

Ce qu'on expérimente en s'essayant à cet exercice varie beaucoup d'une personne à l'autre. La plupart découvrent, à leur surprise, qu'ils n'étaient tout simplement pas habitués au silence, que, quoi qu'ils fassent, ils ne peuvent pas arrêter le constant vagabondage de leur esprit ou apaiser l'agitation émotive de leur cœur. D'autres sentent qu'ils viennent près des frontières du silence, mais la panique les gagne et ils se replient. L'expérience du silence peut engendrer de la peur.

Il n'y a pas lieu de se décourager. Même vos pensées vagabondes sont très révélatrices, n'est-ce-pas? Le fait que votre esprit vagabonde n'est-il pas une révélation sur vous-mêmes? Vous ne devez pas cependant vous en contenter, mais prendre le temps de *faire l'expérience* du vagabondage de votre esprit. Et comme il est révélateur également le *genre* de vagabondage auquel il s'adonne!

Et voici qui a de quoi vous encourager : le fait de vous être rendu compte de votre vagabondage mental, de votre agitation intérieure ou de votre incapacité à être tranquille, montre qu'il existe en vous un petit peu de silence, assez du moins pour accomplir cette prise de conscience.[1]

> Fermez les yeux de nouveau et prenez conscience du vagabondage de votre esprit... pendant deux minutes seulement...
>
> Percevez maintenant le silence qui rend possible cette prise de conscience des vagabondages de votre esprit...

C'est sur ce minimum de silence en vous que nous allons nous appuyer dans les exercices qui suivent. À mesure qu'il va croître, il va vous révéler de plus en plus de choses sur vous-mêmes. Ou, plus exactement, le silence va vous révéler à vous-mêmes. Sa toute première révélation, c'est vous-mêmes. Dans et par cette révélation, vous allez vous procurer des choses que l'argent ne saurait acheter : la sagesse, la sérénité, la joie, Dieu.

Pour parvenir à ces choses sans prix, il ne vous suffira pas de réfléchir, de parler, de discuter : il faudra vous mettre à l'œuvre, et dès maintenant.

> Fermez les yeux. Mettez-vous en quête de silence encore pendant cinq minutes.

---

1. Les expressions «prendre conscience» et «prise de conscience» traduiront les mots anglais *aware* et *awareness,* qui comportent facilement l'idée de sentir, en plus de s'apercevoir.

Au terme de cet exercice, observez si, cette fois, vos efforts ont été plus fructueux ou moins.

Examinez si, cette fois, le silence vous a fait découvrir quelque chose que vous n'aviez pas remarqué la fois précédente.

Ne recherchez rien de sensationnel dans la révélation que procure le silence : des lumières, des inspirations, des intuitions. Et même ne cherchez pas du tout. Contentez-vous d'*observer*. Accueillez simplement tout ce qui entre dans le champ de votre conscience, tout ce qui vous est ainsi révélé, si banal et si ordinaire soit-il. Toute votre révélation peut se ramener au fait que vos mains sont moites, que vous éprouvez le besoin de changer de posture ou que vous vous inquiétez de votre santé. Peu importe : l'essentiel, c'est que vous en ayez pris conscience. Et en cela le contenu importe moins que la qualité. À mesure que cette qualité s'améliorera, votre silence ira s'approfondissant, et alors vous constaterez un changement. Et vous découvrirez, à votre grande joie, qu'une révélation n'est pas un savoir, mais un pouvoir, un pouvoir mystérieux qui entraîne une transformation.

Deuxième exercice : Les sensations corporelles

Prenez une posture confortable et reposante. Fermez les yeux. Je vais vous demander cette fois-ci de prendre conscience de certaines sensations que vous éprouvez en ce moment-ci dans votre corps, mais dont vous n'êtes pas explicitement conscients... Notez que vos vêtements touchent vos épaules... Maintenant, notez qu'ils touchent votre dos ou que votre dos touche le dossier de chaise où vous êtes assis...

Remarquez la sensation de vos mains qui se touchent l'une l'autre ou reposent sur vos genoux... Prenez conscience de la pression exercée sur votre chaise par vos cuisses ou vos fesses... de vos pieds touchant vos chaussures... Prenez expressément conscience de votre posture assise... Une fois de plus : vos épaules... votre dos... votre main droite... votre main gauche... vos cuisses... vos pieds... votre posture assise...

De nouveau : épaules... dos... main droite... main gauche... cuisse droite... cuisse gauche... pied droit... pied gauche... posture assise... Reprenez cela maintenant par vous-mêmes, en passant d'une partie du corps à l'autre. Ne vous attardez pas plus que deux secondes sur chaque partie : les épaules, le dos, les cuisses, etc... Continuez à passer de l'une à l'autre...

Vous pouvez vous arrêter sur les parties du corps que j'ai indiquées ou sur d'autres parties, à votre gré : votre tête, votre cou, vos bras, votre poitrine, votre estomac... L'essentiel, c'est que vous *sentiez* chaque partie, pendant une seconde ou deux, pour passer ensuite à une autre partie du corps.

Au bout de cinq minutes, je vous demanderai d'ouvrir les yeux doucement et de mettre fin à l'exercice.

Cet exercice simple donne à la plupart des gens une sensation immédiate de détente. Et dans la plupart des groupes, quand je propose pour la première fois cet exercice, l'une ou l'autre personne se détend au point de s'endormir !

La tension nerveuse est un des plus grands ennemis de la prière. Cet exercice vous aidera à le surmonter. La formule en est simple : vous vous détendez lorsque vous revenez à vos sens, lorsque vous devenez aussi conscients que possible de vos sensations corporelles, des bruits autour de vous, de votre respiration, du goût de quelque chose dans votre bouche.

Beaucoup trop de gens vivent trop *dans leurs têtes :* ils sont surtout conscients du raisonnement et du travail d'imagination qui se poursuivent dans leur tête et beaucoup trop peu conscients de l'activité de leurs sens. De là vient qu'ils vivent rarement dans le présent, et presque toujours dans le passé ou dans l'avenir. Dans le passé, à regretter leurs fautes passées, à se sentir coupables de leurs péchés passés, à savourer leurs exploits passés et à ruminer les torts subis dans le passé. Dans l'avenir, à redouter des malheurs ou des désagréments possibles, à anticiper des joies futures ou à rêver d'événements futurs.

Se rappeler le passé pour en tirer avantage ou même en jouir à nouveau, anticiper l'avenir dans le but de faire des projets réalistes, voilà qui est valable à condition que cela ne nous tire pas trop longtemps hors du présent. Pour réussir dans la prière, il est essentiel de développer l'aptitude à prendre contact avec le présent et à y demeurer. Et je ne connais pas de meilleure méthode pour y arriver que de sortir de votre tête pour retourner à vos sens.

Sentez la chaleur ou le froid de l'atmosphère autour de vous, la brise qui caresse votre corps, la chaleur du soleil qui entre en contact avec votre peau, la surface et la température de l'objet que vous touchez... et voyez quelle différence en résulte. Voyez comment, en revenant au présent, vous devenez vivants. Une fois familiarisés avec cette technique de l'éveil des sensations, vous serez étonnés de l'effet qu'elle a sur vous si vous êtes du type qui souvent s'inquiète de l'avenir ou se sent coupable du passé.

Un mot à propos de « sortir de votre tête » : la tête n'est pas un très bon endroit pour la prière. Ce n'est pas un mauvais endroit pour *amorcer* la prière. Mais si votre prière s'y attarde trop longtemps et ne descend pas dans le cœur, elle va devenir peu à peu aride et s'avérer fastidieuse et frustrante. Il vous faut apprendre à quitter la zone du raisonnement et du langage pour entrer dans celle de la sensation, du sentiment, de l'amour et de l'intuition. C'est là que naît la contemplation et que la prière devient une puissance transformatrice et une source de délectation et de paix sans fin.

Il est possible que certains — très peu nombreux — retirent de cet exercice non pas un sentiment de détente et de paix, mais une tension plus grande. Si cela vous arrive, passez à la prise de conscience de votre tension. Remarquez quelle partie de votre corps est tendue et quelle sensation précise vous donne cette tension. Devenez conscients du fait que vous devenez tendus et observez bien comment vous y parvenez.

Quand je dis *observer,* je ne me réfère pas à la réflexion, mais au sentiment et à la sensation. Je ne saurais trop rappeler que, dans notre exercice, il s'agit de sentir, non de penser. Il existe des gens qui, lorsqu'on leur demande de sentir leurs bras, leurs jambes ou leurs mains, ne les *sentent* pas vraiment; ils produisent une image mentale de leurs membres. Ils *savent* où ces membres se situent et ils prennent conscience de cette connaissance, mais ils ne *sentent* pas ces membres eux-mêmes. Alors que les autres sentent une jambe ou une main, eux ils ne sentent qu'un vide. Ils n'ont qu'une image mentale.

La meilleure manière de vaincre ce défaut (et de vous assurer que vous ne confondez pas une image mentale avec une expérience sensible), c'est de percevoir autant de sensations que vous le pouvez dans chacun de ces membres: vos épaules, votre dos, vos cuisses, vos mains, vos pieds. Cela vous aidera également à sympathiser avec ceux qui ne sentent pas leurs membres, parce que vous constaterez probablement qu'au début seule une portion de la surface de ces membres dégage une sensation. Il se peut que sur des zones considérables de votre corps vous ne perceviez aucune sensation, parce qu'à force de vivre si longtemps dans votre tête vous avez émoussé votre sensibilité. La surface de votre peau est couverte de trillions de réactions bio-chimiques que nous appelons sensations, et voici qu'il vous est difficile d'en percevoir même quelques-unes seulement! Vous vous êtes endurcis à ne pas ressentir tout probablement à cause de quelque choc ou conflit émotif que vous avez depuis longtemps oublié. De là vient que votre perception, votre prise de conscience, votre capacité de concentration et d'attention sont demeurées frustes et sous-développées.

J'expliquerai plus loin le rapport qu'il y a entre cet exercice et la prière, et comment pour plusieurs cet exercice lui-même est une forme de contemplation. Qu'il suffise pour le moment qu'il prépare à la prière et à la contemplation, qu'il serve à obtenir la relaxation et le calme sans lesquels la prière devient difficile, voire impossible.

> Fermez les yeux de nouveau. Entrez en contact avec les sensations que vous éprouvez en diverses parties de votre corps.

L'idéal serait de ne même pas penser aux diverses parties de votre corps, à vos « mains », à vos « jambes » ou à votre « dos », mais tout simplement de passer d'une sensation à l'autre, sans donner d'étiquette ou de nom à vos membres et à vos organes à mesure que vous les sentez.

Si vous notez un besoin de bouger ou de changer de position, n'y cédez pas. Contentez-vous de prendre conscience du besoin et de l'inconfort corporel d'où provient le besoin, si tel est le cas.

Prolongez cet exercice pendant quelques minutes. Peu à peu vous allez sentir qu'un certain calme envahit votre corps. Ne vous abandonnez pas explicitement à ce calme. Poursuivez votre exercice de prise de conscience et abandonnez le calme à lui-même.

Si vous devenez distraits, reprenez conscience des sensations corporelles, passant de l'une à l'autre jusqu'à ce que votre corps retrouve son calme et que votre esprit s'apaise en même temps que votre corps, et que vous puissiez percevoir à nouveau cette tranquillité qui procure la paix ainsi qu'un avant-goût de la contemplation et de Dieu. Cependant, encore une fois, ne vous abandonnez pas expressément à cette tranquillité.

Pourquoi ne pas s'abandonner à ce calme que vous sentirez probablement durant cet exercice? Sans doute cela peut être relaxant, voire agréable; mais cela risque également de provoquer une transe légère ou un vide mental. Et vous abandonner à cette transe, en ce qui touche à la contemplation, ne vous mène nulle part. Cela ressemble quelque peu à une auto-hypnose qui n'a rien à voir avec l'affinement de la prise de conscience ou avec la contemplation.

Il importe donc que vous ne cherchiez pas délibérément à créer en vous quelque calme ou silence, que vous ne vous y abandonniez pas lorsqu'ils surviennent. Ce que vous devez rechercher, c'est un affinement de votre prise de conscience plutôt que le contraire, qui résulte d'une transe même légère. Donc, en dépit du calme et à l'intérieur du calme, vous devez vous en tenir à votre exercice de prise de conscience, et abandonner le calme à lui-même.

Il y aura des moments où le calme ou le vide seront si intenses qu'ils vous rendront impossibles tout exercice et tout effort. Et dans ces moments-là, ce n'est plus vous qui êtes en quête du calme : c'est le calme qui s'empare de vous et prend toute la place. Quand cela se produira, vous pourrez sans risque et avec profit renoncer à tout effort (de toute façon, il est devenu impossible) et vous livrer à ce calme irrésistible qui vous envahit.

Troisième exercice :
Les sensations corporelles et
le contrôle des pensées

Cet exercice est un approfondissement du précédent, qui a pu vous paraître très simple, si simple, en fait, qu'il s'avérait décevant. Mais, en réalité, la contemplation est une chose très simple. Pour y faire des progrès, vous n'avez pas à compliquer vos techniques mais à demeurer simples, chose que la plupart trouvent très, très difficile. Prenez votre ennui en patience. Résistez à la tentation de chercher la nouveauté et rechercher la profondeur.

Pour profiter pleinement de cet exercice et du précédent, vous aurez à vous y adonner longtemps. J'ai déjà fait une retraite bouddhiste où nous passions jusqu'à douze ou quatorze heures chaque jour à centrer notre attention sur notre respiration, sur l'air qui pénètre dans nos narines et qui en sort. Aucune variété, aucun intérêt, aucun contenu de pensée pour distraire notre esprit! Je garde un souvenir très vif du jour où nous avons consacré environ douze heures et plus à prendre conscience de toutes les sensations éprouvées dans l'espace étroit qui sépare la lèvre supérieure des narines! La plupart parmi nous échouèrent pendant des heures d'affilée, et ce n'est qu'à force d'efforts patients, persévérants d'attention et de prise de conscience que cette zone rebelle a fini par nous livrer ses sensations.

Vous me demanderez quel peut bien être le profit, au point de vue de la prière, de tous ces exercices. Je ne puis que vous répondre pour l'instant: ne posez pas de questions. Faites ce qu'on vous demande et vous trouverez la réponse par vous-mêmes. C'est moins dans les mots et les explications que l'on trouve la vérité que dans l'action et l'expérience. Alors mettez-vous à l'œuvre avec foi et persévérance (et il va vous en falloir une bonne dose !) et avant longtemps vous allez *expérimenter* la réponse à vos questions.

De plus, vous allez vous sentir moins enclins à répondre aux questions, même à celles qui semblent pratiques, que d'autres vous poseront en ce domaine. Toutes ces questions se ramènent à ceci : «*Montrez-moi.*» Et la seule réponse valable qu'on puisse leur donner, c'est de dire : «*Ouvrez les yeux et voyez par vous-mêmes.*» Je préférerais vous emmener jusqu'au sommet de la montagne pour y observer le lever du soleil plutôt que d'entreprendre de vous décrire avec enthousiasme l'effet d'un lever de soleil vu du sommet de la montagne. « *Venez et voyez* » : voilà la sage réponse qu'a donnée Jésus à deux disciples qui l'interrogeaient sur lui-même.

Toute la gloire d'un lever de soleil en montagne, et bien davantage, se retrouve dans un exercice aussi monotone que de prendre conscience de ses sensations corporelles pendant des heures et des jours d'affilés. Venez et voyez par vous-même ! Il est fort probable que vous n'aurez pas le loisir d'y consacrer des heures et des jours entiers. Je suggère que vous fassiez cet exercice au début de chaque période de prière. Poursuivez-le jusqu'à ce que vous trouviez la paix et le calme, puis passez à la prière, quels que soient le genre ou la forme de prière que vous pratiquez d'ordinaire. Vous pouvez également tirer profit de cet exercice à d'autres moments du jour plus inusités : en attendant l'autobus ou le train, lorsque, fatigué, tendu vous avez besoin de vous détendre quelque peu, quand vous disposez de quelques minutes à perdre et que vous ne savez pas comment les utiliser.

Viendra un temps, espérons-le, où vous prendrez grand plaisir et grande joie à cette prise de conscience et ne désirerez pas passer à une autre forme de prière. C'est alors que vous pourrez vous en tenir à cet exercice et découvrir la profonde et authentique contemplation que recèle cet humble exercice. Je traiterai plus loin de ce genre de contemplation.

Passons maintenant à l'exercice suivant, qui peut se décrire en quelques phrases, mais qui doit être repris et pratiqué fréquemment. Avec mes groupes de contemplation, je ne manque pas de commencer par quelques minutes de ces exercices chaque fois que nous nous réunissons, et je recommande aux membres du groupe de le pratiquer quotidiennement, pendant au moins quelques minutes, matin, midi et soir.

> Fermez les yeux. Reprenez l'exercice précédent, en allant d'une partie du corps à l'autre, et en devenant conscients de toutes les sensations que vous percevez en chacune d'elles. Faites ceci pendant cinq à dix minutes.
>
> Puis choisissez une région restreinte de votre visage : votre front, par exemple, ou une joue, ou votre menton. Essayez de percevoir toutes les sensations que vous pouvez dans cette région.
>
> Au début, cette région pourra paraître entièrement dépourvue de sensation. En pareil cas, revenez quelque temps à l'exercice précédent. Puis, revenez à cette surface. Procédez ainsi jusqu'à ce que vous saisissiez quelque sensation, si ténue soit-elle. Dès que vous percevrez une sensation, tenez-vous-en à celle-ci. Il se peut qu'elle disparaisse, qu'elle se mue en une autre sensation, ou que d'autres sensations naissent autour d'elle.
>
> Prenez conscience des différents genres de sensation qui surgissent : démangeaison, picotement, brûlure, tiraillement, vibration, lancination, engourdissement... Si votre esprit divague, ramenez-le patiemment à cet exercice dès que vous vous en rendez compte.

Je terminerai ce chapitre en vous suggérant un exercice analogue que vous pourrez utiliser en dehors des temps de prière. Lorsque vous marchez, prenez conscience, pendant quelque temps, du mouvement de vos jambes. Vous pouvez le faire n'importe où, même sur une rue achalandée. Il ne s'agit pas de savoir que vos jambes sont en mouvement, mais de percevoir la *sensation* de ce mouvement. Vous en tirerez un effet apaisant, tranquillisant. Vous pourriez même en faire un exercice de concentration, mais alors vous devrez vous trouver dans un endroit tranquille où vous ne risquez pas d'être observé par des gens qui naturellement, à vous voir, vont conclure qu'il y a quelque chose qui ne va pas chez vous ! Voici cet exercice :

> Tout en arpentant une pièce ou un corridor, ralentissez votre pas jusqu'à ce que vous deveniez pleinement conscients de chacun des mouvements de vos jambes : votre pied gauche qui se lève... votre pied gauche qui s'avance... votre pied gauche qui touche le sol... le poids de votre corps qui se déplace vers votre pied gauche... Puis votre pied droit qui se soulève... son mouvement vers l'avant... ce pied droit qui se pose sur le sol devant vous... et ainsi de suite.

Pour faciliter votre concentration vous pourriez répéter mentalement, en même temps que vous soulevez votre pied, 'Soulever... soulever... soulever...' Et en avançant votre pied : 'Avancer... avancer... avancer...' Et en le posant sur le plancher, 'Poser... poser.'

Cet exercice n'est évidemment pas recommandé lorsque vous êtes pressés ! Et vous n'avez qu'à le pratiquer une fois pour comprendre pourquoi je vous en dissuade à moins que vous vous trouviez en un endroit où vous ne risquez d'être vus que par des gens qui seront les derniers à vous juger !

Quatrième exercice : Le contrôle des pensées

La plupart des gens sont dérangés par des distractions durant leurs exercices de prise de conscience; aussi, je voudrais dire quelques mots sur la manière de venir à bout de ces distractions.

Cela vous aidera peut-être, quand vous êtes aux prises avec des distractions, de tenir les yeux non pas fermés mais entrouverts, assez pour pouvoir voir à environ trois pieds devant vous. Puis fixez du regard un point ou un objet. Cependant, ne vous arrêtez pas à ce point ou à cet objet, ne vous concentrez pas sur lui, n'en faites pas l'objet de votre attention. Certains ont du mal à se concentrer quand leurs yeux sont fermés. On dirait que les yeux fermés forment une sorte d'écran vierge sur lequel leur esprit projette toutes sortes de pensées qui les détournent de leur concentration. Voilà pourquoi je vous suggère d'entrouvrir les yeux et de fixer un objet ou un point à quelque trois pieds de vous. Prenez ce moyen, mais seulement s'il vous aide. Il se peut qu'entrouvrir les yeux vous expose aux distractions tout autant que les fermer ! Cela vous aidera également à vous défaire de vos distractions, croyez-le ou non, de vous tenir le dos bien droit ! Je ne saurais expliquer la chose scientifiquement, mais je suis convaincu, d'après mon expérience et celle des autres, que cela est efficace. La posture idéale est celle du lotus que l'on enseigne aux étudiants du yoga : les jambes croisées, les pieds posés sur les cuisses, et la colonne droite. On me dit que ceux qui réussissent à prendre cette posture ont si peu de problème avec les distractions qu'ils ont de la difficulté à penser, à faire fonctionner leur esprit. C'est ce qui fait dire que cette posture est celle qui convient le plus à la contemplation et à l'attention.

La plupart d'entre vous n'auront ni la patience, ni le courage de se familiariser avec cette posture extrêmement difficile, si bénéfique soit-elle. Vous devrez vous contenter de vous appuyer contre le dossier d'une chaise droite ou sur le bord d'une chaise pour vous obliger à vous tenir droit. Cette posture n'est pas aussi inconfortable qu'elle peut sembler à première vue. Au contraire, vous finirez par constater qu'une colonne incurvée est beaucoup plus inconfortable. Et vous découvrirez probablement que vous tenir bien droit favorise beaucoup votre attention. Je tiens de source autorisée que certains maîtres du Zen peuvent pénétrer dans une salle de méditation et déceler, à la seule position du dos d'un méditant, s'il est distrait ou non. Voilà qui me semble quelque peu exagéré : il m'est arrivé quelques fois de ne pas me tenir droit sans que je sois distrait.

Certains vont jusqu'à recommander à ceux qui ne parviennent pas à se tenir confortablement droit, de s'étendre sur une surface dure, celle d'un plancher par exemple. Cette suggestion est valable et mérite qu'on en fasse l'expérience. Je n'y apporterais qu'une réserve : cette position endort la plupart des gens, ce qui pour la contemplation est généralement encore plus désastreux que les distractions elles-mêmes.

Il est fort probable que malgré vos efforts pour chasser les distractions à l'aide d'une posture ou d'une ouverture des yeux, vous soyez dérangés par le vagabondage de votre esprit. Il n'y a pas lieu de vous en alarmer : tout contemplatif sérieux en vient aux prises avec cet ennui. La lutte pour obtenir le contrôle de l'esprit est longue et ardue ; le grand profit qui peut en résulter justifie pleinement qu'on l'entreprenne. Rien ne saurait donc remplacer une longue patience et persévérance : vous devez croire, malgré des indications en sens contraire, que vous finirez par réussir. J'ai encore une suggestion à faire, susceptible de vous aider : je n'ai pas jusqu'ici trouvé une manière plus efficace de venir à bout des distractions. La voici sous forme d'exercice.

> Fermez les yeux, ou laissez-les entrouverts, si cela vous aide davantage.
>
> Remarquez maintenant chaque pensée qui vous vient à l'esprit. Il y a deux manières de se comporter avec les pensées : la première consiste à les suivre comme un jeune chien sur la rue va suivre n'importe qu'elle paire de jambes en mouvement, quelle que

soit la direction qu'elle prenne. La seconde consiste à les observer comme le ferait un homme à sa fenêtre qui surveille les passants. C'est ainsi que je vous prie d'observer vos pensées.

Après avoir fait cela pendant quelque temps, rendez-vous compte que vous pensez. Vous pouvez même vous dire intérieurement : *je pense... je pense..* ou simplement *penser... penser...* pour que vous demeuriez conscient du processus de pensée qui se déroule en vous.

Si vous constatez qu'il n'y a pas de pensée dans votre esprit, que vous avez l'esprit vide, attendez qu'apparaisse une pensée. Soyez sur le qui-vive et, dès que la pensée surgit, prenez conscience d'elle ou du fait que vous pensez.

Poursuivez cet exercice pendant trois ou quatre minutes.

Il se peut qu'au cours de cet exercice vous ayez la surprise de découvrir qu'en prenant conscience du fait que vous pensez, toute pensée a tendance à cesser !

Voici donc une manière simple de venir à bout d'un esprit qui vagabonde. Arrêtez-vous un instant pour remarquer que vous pensez et vous allez cesser momentanément de penser. Réservez cet exercice pour les moments où vous serez plus distraits qu'à l'ordinaire. Il est presque impossible de ne pas être souvent distrait lorsqu'on se lance dans la contemplation. Mais on surmonte la plupart des distractions en ramenant tout bonnement l'esprit à l'attention lorsqu'on se rend compte de la distraction. Cet exercice devient nécessaire uniquement si votre esprit est plus distrait qu'à l'ordinaire.

Il existe un genre de distraction qui comporte une charge d'émotivité : amour, crainte, ressentiment ou quelque autre sentiment. Ce genre de distraction comportant un fort contenu émotif ne cédera pas facilement à l'exercice que je viens de suggérer. Il faudra avoir recours à d'autres méthodes que je suggérerai plus loin. Et surtout, vous devrez avoir acquis une maîtrise considérable de l'art de se concentrer et de contempler pour demeurer paisibles en présence de ce genre de distraction.

Cinquième exercice : Les sensations de la respiration

> Au début de cet exercice, passez environ cinq minutes à prendre conscience des sensations qu'éprouvent diverses parties de votre corps...
>
> Ensuite prenez conscience de votre respiration, de l'air qui pénètre dans vos narines et qui en sort...
>
> Ne centrez pas votre attention sur l'air qui entre dans vos poumons, mais uniquement sur celui qui passe par vos narines...
>
> Ne contrôlez pas votre respiration. N'essayez pas de la rendre plus profonde. Il s'agit ici d'un exercice non pas de respiration mais de prise de conscience. Si donc votre respiration est peu profonde, ne la modifiez pas : contentez-vous de l'observer.

Chaque fois que vous devenez distraits, faites un retour énergique à votre tâche. En réalité, avant même de l'entreprendre, il vous aidera de prendre la ferme résolution de ne perdre conscience d'aucune respiration.

Faites cet exercice pendant environ dix ou quinze minutes.

La plupart des gens trouvent cet exercice plus difficile que les deux qui l'ont précédé. Et cependant, c'est le plus efficace des trois pour aiguiser la prise de conscience. De plus, il a comme effet de procurer le calme et la détente.

Tout en essayant de prendre conscience de votre respiration, ne raidissez pas vos muscles. Il ne faut pas confondre détermination et tension nerveuse. Vous devez vous attendre à être très distraits au début. Quelque distraits que vous soyez, le simple fait de revenir constamment à la conscience de votre respiration — le simple effort déployé pour y parvenir — aura des effets bénéfiques que vous découvrirez peu à peu.

Lorsque vous aurez fait quelque progrès dans cet exercice, passez à la variante suivante, qui est quelque peu plus difficile et plus efficace :

Prenez conscience que vous sentez l'air qui traverse vos narines. Sentez sa touche. Remarquez quelle partie de vos narines est touchée par l'air lorsque vous aspirez... et quelle partie est touchée lorsque vous expirez...

Prenez conscience, si vous le pouvez, de la chaleur ou du froid de l'air... sentez qu'il est froid quand il pénètre et chaud quand il sort.

Vous pouvez également remarquer que la quantité d'air qui passe par une narine est plus grande que celle qui passe par l'autre...

Soyez sensibles au moindre souffle d'air qui touche vos narines lors de l'aspiration et de l'expiration...

Demeurez dans cette prise de conscience pendant environ dix ou quinze minutes.

La durée indiquée pour chacun de ces exercices est un minimum requis que vous vous fassiez une idée de sa valeur et que vous en tiriez profit. Mais plus vous pourrez accorder de temps à l'exercice, plus, évidemment, il vous sera profitable. La seule réserve que j'apporterais à cette affirmation est la suivante : ne consacrez pas à la seule prise de conscience de la respiration plusieurs heures d'affilée, durant plus de deux ou trois jours. Il se peut que cet exercice vous procure une grande paix, un sentiment de profondeur et de plénitude qui fait vos délices, et vous pourriez entreprendre d'y consacrer plusieurs heures au cours d'une retraite où vous demeurez en silence durant plusieurs jours. Mais ne tentez pas cette expérience sans pouvoir avoir recours à un conseiller compétent : concentrer son attention pendant longtemps sur une fonction aussi subtile que la respiration est susceptible de produire des hallucinations ou de faire surgir du subconscient des éléments qui échappent à votre contrôle. Le danger est éloigné, sans doute, et fort mince la probabilité que quelqu'un s'adonne à ce genre d'exercice pendant des heures d'affilée. Je préfère néanmoins vous prévenir de cette possibilité.

Je ne saurais assez vanter la valeur qu'a cet exercice pour ceux qui désirent, au milieu des soucis, trouver la paix, la maîtrise de soi et une joie intérieure profonde. Un maître oriental célèbre avait coutume de dire à ses disciples : « *Votre respiration est votre plus grand ami. Dans tous vos ennuis, revenez à votre respiration et vous trouverez confort et lumière* ». Voilà qui vous paraîtra mystérieux, mais vous serez d'accord lorsque vous aurez consacré assez de temps pour maîtriser l'art difficile de la prise de conscience.

Prise de conscience et contemplation

Le moment est peut-être venu de parler d'une objection parfois soulevée dans mes groupes de contemplation : ces exercices de prise de conscience, bien qu'ils puissent aider à la relaxation, n'ont rien à voir avec la contemplation telle que nous, chrétiens, la concevons et ils ne constituent sûrement pas une prière.

Je tenterai maintenant d'expliquer comment ces exercices simples peuvent être considérés comme de la contemplation, selon le strict sens chrétien de ce terme. Si l'explication ne vous satisfait pas ou ne fait que vous créer des difficultés, je vous suggère de laisser de côté tout ce que je dis sur ce sujet, et de faire ces exercices de prise de conscience uniquement pour vous disposer à la prière et à la contemplation; ou encore, d'oublier complètement ces exercices et de passer aux autres du présent livre qui vous agréent davantage.

Permettez que tout d'abord j'explique en quel sens j'emploie les mots de prière et de contemplation. J'entends par prière une communication avec Dieu qui se produit surtout à l'aide de mots, d'images et de pensées. Je proposerai plus loin plusieurs exercices qui, à mon avis, entrent sous la rubrique de la prière. Selon moi, la contemplation est une communication avec Dieu qui fait un usage minime des mots, des images et des concepts, ou se passe complètement de mots, d'images et de concepts. Voilà le genre de prière dont parle saint Jean de la Croix dans sa *Nuit obscure des sens,* ou qu'explique l'auteur de l'admirable ouvrage *Cloud of Unknowing.* Certains des exercices que je propose dans ce livre-ci, rattachés à la «prière de Jésus», pourraient être considérés comme de la prière, de la contemplation ou un mélange des deux, selon l'importance que vous accordez aux mots et aux pensées en pratiquant ces exercices.

Venons-en maintenant au cœur de notre problème : Quand je fais l'exercice de prise de conscience des sensations de mon corps ou de ma respiration, peut-on dire que je communique avec Dieu ? La réponse, c'est oui. Laissez-moi expliquer la nature de cette *communication avec Dieu* qui s'établit dans les exercices de prise de conscience. Plusieurs mystiques nous disent qu'en plus de l'esprit et du cœur avec lesquels nous communiquons d'ordinaire avec Dieu, nous sommes doués, tous tant que nous sommes, d'un esprit mystique et d'un cœur mystique, d'une faculté qui nous permet de connaître Dieu directement, de le saisir et de *l'intuitionner* dans son être même, bien que d'une manière obscure, sans l'usage des pensées, des concepts et des images.

D'ordinaire, notre contact avec Dieu est entièrement indirect : il passe par des images et des concepts qui déforment inévitablement sa réalité. Parvenir à le saisir par-delà ces pensées et ces images, c'est le privilège de cette faculté qu'au cours de cette explication j'appellerai le Cœur. (un mot cher à l'auteur de *Cloud of Unknowing),* bien qu'elle n'ait rien à voir avec le cœur physique ou l'affectivité.

Chez la plupart d'entre nous, ce Cœur demeure endormi et non développé. S'il allait s'éveiller, il tendrait sans cesse vers Dieu, et il ferait s'élancer vers lui tout notre être, si nous lui en donnions la chance. Mais il faut pour cela qu'il se développe, qu'il se débarrasse des scories qui l'empêchent d'être attiré par l'Éternel Aimant. Ces scories, ce sont les nombreuses pensées, paroles et images que nous interposons constamment entre nous et Dieu, quand nous communiquons avec lui. Parfois les mots ne font que gêner la communication et l'intimité, au lieu de les favoriser. Le silence — de parole et d'action — peut parfois être la forme la plus puissante de communication et d'union, lorsque les cœurs débordent d'amour. Cependant notre communication avec Dieu n'est pas tout à fait aussi simple. Je peux regarder avec amour dans les yeux un ami intime et communiquer avec lui par-delà les mots. Mais qu'est-ce que je regarde, quand je regarde Dieu en silence? Une réalité sans image et sans forme. Le vide!

Or, c'est là tout ce que nous exigeons des gens qui voudraient entrer en communion profonde avec l'Infini, avec Dieu : contempler le vide pendant des heures. Certains mystiques recommandent que nous contemplions ce vide *avec amour.* Et il faut une forte dose de foi pour contempler avec amour et désir ce qui ressemble au simple néant, quand nous commençons à prendre contact avec lui.

D'ordinaire, vous n'approcherez même pas de ce vide, malgré votre intense désir de passer des heures à le contempler, si votre esprit ne fait pas silence. Aussi longtemps que la machine de votre esprit continuera à brasser des millions de pensées et de mots, votre *esprit mystique,* votre Cœur demeurera sous-développé. Voyez combien aigus sont les sens de l'ouïe et du toucher chez un aveugle. Ayant perdu la faculté de voir, il a dû développer ses autres facultés de perception. Il se produit dans le domaine de la mystique quelque chose d'analogue. Si nous pouvions devenir mentalement aveugles, pour ainsi dire, si nous pouvions bander les yeux de notre esprit lorsque nous communiquons avec Dieu, nous serions contraints de développer quelque autre faculté pour communiquer avec lui — une faculté qui, au dire de plusieurs mystiques, aspire déjà à s'élancer vers lui pourvu qu'on lui donne la chance de se développer : le Cœur.

Lorsque notre Cœur, d'une manière directe et obscure, entrevoit Dieu pour la première fois, il a l'impression d'entrevoir le vide et le néant. Ceux qui parviennent à cette étape se plaignent souvent que leur prière n'aboutit à rien, qu'ils perdent leur temps, qu'ils demeurent inactifs, que rien ne semble se produire et qu'ils se trouvent dans une obscurité totale. Malheureusement, pour sortir de cet état inconfortable, ils ont recours de nouveau à leur faculté de penser, ils enlèvent le bandeau de leur esprit et se mettent à *penser,* à *parler* à Dieu — la seule chose qu'ils ne devraient pas faire.

Si Dieu se montre compatissant à leur endroit, comme il arrive souvent, il ne permettra pas qu'ils utilisent leur esprit pour prier. Toute réflexion leur répugnera : la prière vocale dont les mots leur paraîtront vides de sens leur deviendra intolérable ; ils éprouveront une franche aridité chaque fois qu'ils tenteront de communiquer avec Dieu hors du silence. Et au début, le silence lui-même leur sera pénible et aride. Et ce qui pourrait leur arriver alors de pire, ce serait d'abandonner complètement la prière qui les oblige à choisir entre la frustration de ne pouvoir utiliser leur esprit et le sentiment trompeur de perdre leur temps à ne rien faire dans cette obscurité qui les envahit dès qu'ils font taire leur esprit.

S'ils évitent ce mal, persévèrent dans la prière et s'exposent, avec une foi aveugle, au vide, à l'obscurité, à l'inaction, au néant, ils découvriront peu à peu, au début sous forme d'éclairs et plus tard d'une manière plus stable, qu'une lumière brille dans l'obscurité, que le vide comble mystérieusement leur cœur, que leur désœuvrement est plein de l'activité de Dieu, que dans le néant leur être se recrée en une forme nouvelle...

et tout cela d'une manière qu'ils ne peuvent décrire ni à eux-mêmes, ni à d'autres. Tout ce qu'ils savent après une semblable session de prière ou de contemplation, appelez-la comme vous voudrez : c'est que quelque chose de mystérieux était à l'œuvre en eux, apportant fraîcheur, nourriture et bien-être. Ils remarqueront qu'ils éprouvent une faim intense de retourner à cette contemplation obscure qui semble dépourvue de sens et qui pourtant les comble de vie, avec même une légère ivresse qu'ils ne perçoivent guère avec leur esprit et avec leurs émotions. Et pourtant, cette ivresse, à n'en point douter, est présente, si réelle et si comblante qu'ils ne l'échangeraient pas pour toute l'ivresse que procurent les délices du monde des sens, des émotions et de l'esprit. Chose étrange que cette contemplation ait pu paraître au début si aride, si obscure et si fade !

Pour parvenir à cette hauteur, vous approcher de cette obscurité mystique et commencer à communiquer avec Dieu par ce Cœur dont parlent les mystiques, il vous faut, avant toute chose, trouver quelque moyen de faire taire l'esprit. Certains ont le bonheur (et il importe que vous le sachiez, pour ne pas commettre l'erreur de croire que tous ceux qui progressent dans la contemplation doivent nécessairement passer par cette épreuve d'affronter l'obscurité) de parvenir spontanément à cette étape, sans jamais avoir à faire taire le discours de leur esprit ni à apaiser le flux de tous leurs mots et de toutes leurs pensées. On dirait que leurs mains et leurs oreilles sont aussi sensibles que celles d'un aveugle et cependant ils conservent le plein usage de leur vue. Ils se plaisent dans la prière vocale. Ils tirent grand profit à se servir de leur imagination dans la prière, ils donnent libre cours à leurs pensées en présence de Dieu et, sous toute cette activité, leur Cœur se développe et « intuitionne » directement le Divin.

Si vous n'êtes pas du nombre de ces gens fortunés, vous devrez faire quelque chose pour développer votre Cœur. Vous ne pouvez rien faire directement : vous ne pouvez que faire taire le discours de votre esprit, vous abstenir de pensées et de mots pendant que vous êtes en prière, et laisser votre Cœur croître par lui-même. C'est une tâche extrêmement difficile que de faire taire l'esprit, de l'empêcher de penser, de penser, de penser, de toujours penser, de produire un jet continu de pensées. Nos maîtres hindous de l'Inde ont ce dicton : une épine s'enlève avec une autre épine, signifiant par là que vous ferez bien d'utiliser une pensée pour vous débarrasser de toutes les autres pensées qui encombrent votre esprit : une pensée, une image, un membre de phrase ou une phrase ou un mot sur lesquels votre esprit puisse se fixer. En effet, tenter consciemment de maintenir son esprit dans une absence de pensée, dans un vide, c'est tenter l'impossible. L'esprit doit avoir de quoi s'occuper, mais de rien qu'une chose : une image du Sauveur que vous regardez avec amour et à laquelle vous revenez chaque fois que vous devenez distraits ; une oraison jaculatoire que vous répétez sans cesse pour empêcher l'esprit de vagabonder. Un temps viendra, nous l'espérons, où l'image disparaîtra de votre conscience, où le mot vous sera enlevé de la bouche et où s'arrêtera complètement le discours de votre esprit et où votre Cœur sera libre de contempler l'Obscurité sans obstacle !

À vrai dire, vous n'avez pas à attendre que l'image disparaisse et que les mots s'arrêtent pour faire fonctionner votre Cœur. Le fait d'avoir diminué aussi énergiquement le discours de votre esprit représente déjà une aide considérable pour le développement et le fonctionnement de votre Cœur. Si bien que même si vous ne parvenez jamais à vous libérer de toute image et de tout mot, vous progresserez très probablement dans la contemplation.

Vous remarquerez que les deux moyens que je viens de suggérer, l'image du Sauveur et la répétition d'une oraison jaculatoire, sont manifestement de caractère *religieux*. N'oubliez pas cependant que le but premier de cet exercice est, *non pas* l'activité discursive dans laquelle l'esprit s'engage, mais l'ouverture et le développement du Cœur. Si ce but est atteint, importe-t-il vraiment que l'« épine » que vous utilisez pour enlever toutes les autres épines soit de nature religieuse ou pas? Si vous cherchez avant tout à obtenir quelque lumière dans l'obscurité, importe-t-il vraiment qu'elle vous soit fournie par une simple chandelle ou par un cierge bénit? Importe-t-il dès lors que votre attention se concentre sur une image du Sauveur ou un livre ou une feuille ou un point sur le plancher? Un ami jésuite qui est un amateur en cette matière (et qui se plaît, je le soupçonne, avec un sain scepticisme à mettre à l'épreuve toutes les théories religieuses) m'assure qu'à se répéter constamment et avec rythme 'un-deux-trois-quatre', il obtient les mêmes résultats *mystiques* que ses confrères plus *religieux* prétendent obtenir en répétant avec rythme et dévotion quelque oraison jaculatoire! Et je le crois. L'usage d'une « épine » religieuse a sans doute une valeur sacramentelle. Mais en ce qui concerne notre objectif premier, une épine en vaut bien une autre.

C'est ainsi que nous en venons à conclure, ce qui vous étonnera peut-être, qu'à centrer votre attention sur votre respiration ou sur vos sensations corporelles vous faites de la très bonne contemplation, au sens strict de ce terme. Et j'ai vu cette théorie confirmée par quelques jésuites qui ont fait une retraite de trente jours sous ma direction et qui ont consenti à ajouter aux cinq heures qu'ils étaient censés consacrer aux Exercices de saint Ignace quatre ou cinq heures chaque jour à ce simple exercice de prise de conscience de leur respiration et de leurs sensations corporelles. Je ne fus pas étonné de les entendre me dire que durant leurs exercices de prise de conscience (une fois qu'ils furent devenus quelque peu familiers avec ceux-ci) ils expérimentaient la même chose que lorsqu'ils s'adonnaient à ce qu'on appelle, dans le vocabulaire catholique, la prière de foi ou la prière de quiétude. La plupart d'entre eux m'ont même assuré que ces exercices de prise de conscience servaient à approfondir leur expériences antérieures de prière, à leur donner, pour ainsi dire, plus de vigueur et d'acuité.

Je proposerai, dès l'exercice suivant, des exercices qui ont une allure plus nettement religieuse et qui apaiseront la méfiance de ceux qui éprouvent quelque malaise à consacrer une bonne partie de leur temps de prière à des exercices de simple prise de conscience. Ces exercices nettement religieux produisent tous les fruits que l'on peut retirer des exercices de prise de conscience. Ils renferment de fait une très mince part de réflexion que les exercices de prise de conscience n'ont pas; toutefois, cette part est si minime, si négligeable que vous ne devez pas hésiter à les choisir de préférence aux exercices de prise de conscience, si vous vous y sentez plus à votre aise.

J'ai employé à dessein, dans le paragraphe précédent, les mots «une bonne partie de votre temps de prière». Je ne voudrais pas que vous abandonniez toute votre prière (cette communication avec Dieu qui suppose l'emploi de mots, d'images et de concepts) pour vous adonner à la *pure contemplation.* Il y a un temps pour la prière et la méditation, et il y a un temps pour la contemplation, tout comme il y a un temps pour l'action et un temps pour la contemplation. Cependant, lorsque vous entrez dans ce que j'ai appelé la *contemplation,* veillez à ne pas céder à la tentation de penser, si sainte que soit cette pensée. Tout comme, durant le temps de votre prière, vous repousseriez des pensées *saintes* qui ont un rapport avec votre tâche et qui sont excellentes en temps opportun mais vous distraient présentement de votre prière, de même, durant le temps de votre contemplation, vous devez chasser avec vigueur toutes les pensées qui seraient de nature à détruire cette forme particulière de communication avec Dieu. Le moment est venu de vous exposer en silence au soleil divin et non pas de réfléchir aux vertus et aux propriétés de ses rayons; le temps est venu de regarder avec amour dans les yeux votre divin amoureux, et non pas de rompre cette intimité particulière avec des mots et des réflexions à son sujet. Il faut remettre à une autre occasion la communication à l'aide de mots. C'est le temps maintenant de communier sans paroles.

Il y a un point important sur lequel, malheureusement, je ne puis vous conseiller dans le présent livre; un point qui requiert un maître expérimenté qui connaît bien vos besoins spirituels. Le voici : de tout le temps que chaque jour vous réservez à la communion avec Dieu, combien devriez-vous consacrer à la prière et combien à la contemplation? Voilà une décision qui sera mieux prise avec l'aide de votre directeur spirituel. Grâce à son aide, vous pourrez décider si vous devez vous adonner à ce genre de *contemplation*. Vous êtes peut-être un de ces fortunés dont j'ai parlé plus haut, qui, sans avoir à se bander les yeux, utilisent pleinement leurs mains et leurs oreilles; dont le Cœur mystique communie on ne peut plus pleinement avec Dieu pendant que leur esprit communique avec lui à l'aide de mots et de pensées; qui n'ont pas besoin de se taire pour parvenir à cette intimité avec leur Bien-aimé que plusieurs autres ne peuvent atteindre que par le silence.

Si vous ne pouvez trouver un directeur spirituel, demandez à Dieu de vous guider et commencez par accorder quelques minutes chaque jour à la *contemplation* sous la forme des exercices de prise de conscience ou sous celle de certains exercices plus simples, qu'on trouvera ci-après. Et même durant le temps de votre *prière,* essayez tout doucement de diminuer la somme de réflexion que vous faites et de prier davantage avec votre cœur. Sainte Thérèse d'Avila avait coutume de dire : « *L'important, ce n'est pas de beaucoup penser mais de beaucoup aimer* ». Alors, aimez beaucoup pendant le temps de la prière. Et Dieu vous conduira, même si c'est à travers une période de tâtonnements.

Sixième exercice : Dieu dans mon souffle

Dans le chapitre précédent, je vous ai dit que j'allais vous proposer quelques exercices d'une allure plus explicitement religieuse et qui néanmoins pourraient apporter plusieurs des bienfaits des exercices de prise de conscience. En voici un :

> Fermez les yeux et prenez conscience de vos sensations corporelles pendant quelque temps...
>
> Ensuite prenez conscience de votre respiration de la manière décrite dans l'exercice précédent, et cela pendant quelques minutes...
>
> Je vous demande de réfléchir au fait que cet air que vous aspirez est rempli de la puissance et de la présence de Dieu... Représentez-vous cet air comme un immense océan qui vous entoure... un océan fortement coloré par la présence et l'être de Dieu...
> À mesure que vous aspirez l'air dans vos poumons, vous aspirez Dieu...
>
> Soyez conscients que vous aspirez la puissance et la présence de Dieu à chacune de vos respirations... Gardez ce sentiment aussi longtemps que vous le pouvez...

Observez ce que vous éprouvez lorsque vous devenez conscients d'aspirer Dieu à chacune de vos respirations...

Il existe une variante de cet exercice. Elle s'inspire d'un trait de la mentalité des Hébreux, que nous constatons dans la Bible. Selon eux, le souffle de l'homme, c'est sa vie. Quand un homme mourait, Dicu lui enlevait le souffle. Et si l'homme vivait, c'était parce que Dieu continuait à lui communiquer son souffle, son «esprit». C'était la présence de cet Esprit de Dieu qui maintenait l'homme en vie.

Pendant que vous aspirez, prenez conscience de l'Esprit de Dieu qui vous pénètre...

Remplissez vos poumons de l'énergie divine qu'il vous apporte... Pendant que vous expirez, imaginez que vous expirez toutes vos impuretés... vos craintes... vos sentiments négatifs...

Figurez-vous que tout votre corps devient rayonnant et vivant à aspirer ainsi l'Esprit de Dieu qui donne la vie et à expirer ainsi toutes vos impuretés...

Faites cette expérience aussi longtemps que vous le pourrez sans distractions...

Septième exercice :
Communiquer avec Dieu par la respiration

J'ai fait plus haut la distinction entre la prière et la contemplation. On peut exprimer autrement cette distinction, en parlant de deux genres de prière: la prière de dévotion et la prière d'intuition.

La prière d'intuition correspond à peu près à ce que j'ai appelé «contemplation»; la prière de dévotion, à ce que j'ai appelé «prière». Ces deux formes de prières mènent à l'union avec Dieu. Chacune est plus adaptée à certains qu'à d'autres. Ou bien, les mêmes gens constateront qu'à un moment donné une forme de prière répond mieux à leurs besoins que l'autre.

La prière de dévotion, elle aussi, s'adresse au cœur: toute prière qui se borne à faire penser l'esprit n'est pas vraiment une prière, mais tout au plus une préparation à la prière. Même entre les humains, il n'existe pas de véritable communication personnelle qui ne se fasse par le cœur, au moins à un faible degré; qui ne comporte quelque faible degré d'émotion. Lorsque la communication, le partage de *pensées*, est entièrement dépourvu d'émotion, vous pouvez être sûrs que la dimension personnelle, intime lui manque. Il n'y a pas alors de communion qui aboutit à l'intimité.

Je veux maintenant vous présenter une variante de l'exercice précédent qui en fera un exercice plus de dévotion que d'intuition. Vous remarquerez, cependant, que le contenu de pensée de cet exercice est minime, que cet exercice passera facilement du genre «dévot» au genre intuitif, du cœur au Cœur ; qu'il deviendra, de fait, un bon mélange de la prière de dévotion et de la prière d'intuition.

Prenez conscience de votre respiration pendant quelque temps...

Réfléchissez maintenant à la présence de Dieu dans l'atmosphère qui vous entoure...

Réfléchissez à sa présence dans l'air que vous respirez... que vous aspirez et expirez...

Observez ce que vous ressentez lorsque vous devenez conscients de sa présence dans l'air que vous aspirez et expirez...

Je vous demande maintenant de vous exprimer à Dieu, mais sans paroles. Souvent, lorsque le sentiment est exprimé par un regard ou un geste, cette expression est beaucoup plus puissante que si elle était verbale. Exprimez à Dieu divers sentiments, non par des mots, mais par votre respiration.

Exprimez, tout d'abord, un grand désir de Dieu. Sans vous servir de mots, pas même mentalement, dites-lui : « Mon Dieu, je soupire après vous... » par votre seule manière de respirer. Ce que vous pourrez peut-être exprimer en aspirant l'air profondément, en approfondissant votre respiration...

Puis exprimez une autre attitude ou un autre sentiment : de confiance et d'abandon. Sans paroles, par votre seule manière de respirer, dites-lui : « Mon Dieu, je m'abandonne entièrement à vous... » Peut-être désirerez-vous exprimer ceci en insistant sur votre expiration, en expirant chaque fois comme si vous soupiriez profondément. Chaque fois que vous expirez, sentez-vous vous livrer entièrement dans les mains de Dieu...

Et maintenant prenez d'autres attitudes devant Dieu et exprimez-les par votre respiration... Amour... Proximité et intimité... Adoration... Gratitude... Louange...

Si vous vous lassez à faire ceci, revenez au début de cet exercice et contentez-vous de sentir paisiblement la présence de Dieu autour de vous et dans l'air que vous aspirez et expirez... Ensuite, si vous êtes portés à être distraits, passez à la seconde partie de l'exercice, et une fois de plus exprimez-vous à Dieu sans paroles...

Huitième exercice : Immobilité

Voici un exercice d'immobilité. Le Seigneur dit : « Demeurez tranquilles et connaissez que je suis Dieu ». L'homme moderne est malheureusement affligé d'une tension nerveuse qui le rend presque incapable de demeurer en repos. S'il veut apprendre à prier, il doit commencer par apprendre à se calmer et à demeurer en repos. En vérité, ce calme et ce repos deviennent eux-mêmes souvent une prière quand Dieu se manifeste sous la forme de la tranquillité.

Refaites l'exercice de prise de conscience des sensations de votre corps. Mais cette fois-ci, je vous demande de parcourir tout votre corps, à partir du sommet de votre tête jusqu'au bout de vos orteils, sans omettre aucune partie de votre corps...

Prenez conscience de toutes les sensations dans chacune de ces parties... Il se peut que certaines d'entre elles vous semblent complètement dépourvues de sensation... Arrêtez-vous-y pendant quelques secondes et si aucune sensation ne surgit, poursuivez votre parcours...

À mesure que vous ferez des progrès dans cet exercice vous allez, nous l'espérons, aiguiser votre perception au point qu'il ne restera plus une partie de votre corps qui n'éprouve plusieurs sensations... Pour le moment, contentez-vous de vous arrêter brièvement sur les *vides* et passez aux parties où vous percevez plus de sensations... Passez lentement de la tête aux pieds... puis de nouveau, de la tête aux pieds... et ainsi de suite pendant environ quinze minutes.

À mesure que votre prise de conscience s'aiguisera, vous allez saisir des sensations que vous n'aviez pas remarquées auparavant... vous allez également saisir des sensations extrêmement ténues, si ténues que seul un homme de profonde attention et de calme profond peut les percevoir. Prenez maintenant conscience de votre corps comme d'un tout. Sentez l'ensemble de votre corps comme une masse de sensations diverses... Arrêtez-vous à cette sensation pendant quelque temps, puis reprenez conscience des parties, en allant de la tête aux pieds... puis, de nouveau, demeurez conscients de votre corps comme d'un tout...

Remarquez le calme profond qui vous a pénétrés. Remarquez comment tout votre corps est devenu immobile... Ne vous attardez pas cependant à ce calme au point de perdre conscience de votre corps...

Si vous devenez distraits, remettez-vous à parcourir votre corps de la tête aux pieds et à prendre conscience des sensations de chacune de ses parties... Puis, de nouveau, observez l'immobilité de votre corps... Et si vous faites cet exercice en groupe, remarquez l'immobilité qui règne dans toute la salle...

Il importe beaucoup que vous ne bougiez aucune partie de votre corps pendant que vous faites cet exercice. Vous trouverez cela difficile au début, mais chaque fois que vous éprouverez le besoin de bouger, de vous gratter ou de vous agiter, prenez-en conscience... N'y cédez pas, contentez-vous d'en prendre conscience d'une façon aussi aiguë que possible. Ce besoin disparaîtra peu à peu et vous redeviendrez immobiles... Pour la plupart, il est extrêmement pénible, voire physiquement pénible de rester immobiles. Ils deviennent physiquement tendus. Si vous devenez tendus, prenez tout le temps qu'il faut pour prendre conscience de votre tension... de l'endroit où vous la sentez... de l'impression qu'elle fait... et continuez jusqu'à ce que la tension disparaisse.

Il se peut que vous éprouviez une douleur physique. Si confortable que soit la posture que vous avez adoptée pour cet exercice, il est probable que votre corps proteste contre l'immobilité en provoquant des douleurs en diverses parties. Quand cela se produit, résistez à la tentation de mouvoir vos membres ou de modifier votre posture pour soulager la douleur. Contentez-vous de prendre vivement conscience de la douleur.

Au cours d'une retraite bouddhiste que j'ai faite, on nous a demandé de demeurer assis sans bouger durant toute une heure d'affilée. Je me trouvais assis avec les jambes croisées et la douleur dans mes genoux et dans mon dos était si intense qu'elle en devenait atroce. Je ne me rappelle pas avoir ressenti dans toute ma vie une douleur physique aussi grande. Nous étions censés prendre conscience durant cette heure des sensations de notre corps, en passant d'une partie à l'autre. Tout ce que je percevais, c'était la douleur aiguë dans mes genoux. Je transpirais abondamment. Et j'ai pensé m'évanouir de douleur jusqu'à ce que je décide de ne pas combattre la douleur, de ne pas la fuir, de ne pas désirer la soulager, mais d'en prendre conscience et de m'identifier avec elle. J'ai décomposé la sensation de douleur en ses divers éléments et j'ai découvert, à ma grande surprise, qu'elle était constituée de plusieurs sensations et non pas d'une seule : il y avait une sensation intense de brûlure, de tiraillement, une sensation aiguë d'élancement, qui s'entremêlaient par intervalles... et un point qui se déplaçait constamment. J'ai identifié ce point comme étant la *douleur*... En poursuivant cet exercice de prise de conscience, j'ai constaté que je supportais la douleur parfaitement et même que je pouvais prendre conscience d'autres sensations en d'autres parties de mon corps. Pour la première fois de ma vie, j'éprouvais de la douleur sans souffrir.

Si vous ne vous assoyez pas les jambes croisées durant cet exercice, il n'est pas probable que vous éprouviez une douleur physique aussi aiguë que la mienne. Mais inévitablement, au début, vous éprouverez quelque douleur jusqu'à ce que votre corps s'habitue à demeurer parfaitement immobile. Servez-vous de la prise de conscience pour venir à bout de la douleur. Et, lorsque votre corps finira par demeurer immobile, vous serez amplement récompensés par la tranquille béatitude que cette immobilité vous procurera.

Chez les commençants, la tentation de se gratter est également fréquente. C'est que, à mesure qu'ils prennent mieux conscience de leurs sensations corporelles, ils se rendent compte de sensations de démangeaison et de picotement qui étaient masquées par le durcissement psychosomatique que pour la plupart nous imposons à nos corps, et aussi à cause du peu de raffinement de leurs perceptions. Durant cette étape de la *démangeaison*, vous devrez demeurer parfaitement immobile, prendre conscience de chaque sensation de démangeaison, et continuer jusqu'à ce que la démangeaison disparaisse et résister à la tentation de vaincre la démangeaison en vous grattant !

Neuvième exercice : La prière corporelle

Voici une autre variante de la prière de *dévotion* par des exercices de sensation corporelle :

> Commencez par retrouver le calme en prenant conscience des sensations dans les diverses parties de votre corps... Aiguisez cette perception en saisissant les sensations les plus ténues, et pas seulement celles qui sont grossières et évidentes...
>
> Maintenant, déplacez vos mains et vos doigts doucement jusqu'à ce qu'ils viennent se poser sur vos genoux, les paumes tournées en haut et les doigts rapprochés... Ce mouvement doit s'exécuter très, très lentement... comme les pétales d'une fleur qui s'ouvre... Et pendant que vous faites ce mouvement, prenez conscience de chacune de ses phases...
>
> Une fois vos mains posées sur vos genoux, les paumes tournées en haut, prenez conscience des sensations dans les paumes... Ensuite prenez conscience de votre geste lui-même : voilà un geste de prière à

Dieu que l'on retrouve dans la plupart des cultures et des religions. Que signifie pour vous ce geste? Que dites-vous à Dieu en le faisant? Exprimez-le sans mots, tout simplement en vous identifiant avec le geste... Ce genre de communication non-verbale, gestuelle, que vous venez de pratiquer est celui qui peut se pratiquer en groupe et qui ne requiert pas de changement majeur dans votre posture. Il peut vous donner un échantillon du genre de prière que vous pouvez faire avec votre corps.

Voici quelques exercices dont vous pouvez faire l'essai dans l'intimité de votre chambre, en vous exprimant librement avec votre corps, sans éprouver la gêne d'être vu par les autres.

Tenez-vous droit, les mains pendantes de chaque côté. Prenez conscience d'être en la présence de Dieu...

Trouvez maintenant une manière de lui exprimer, à l'aide de gestes, le sentiment suivant: «Mon Dieu, je m'offre à vous»... Faites ce geste très lentement (rappelez-vous les pétales de la fleur qui s'ouvre), pleinement conscients de vos mouvements et en vous assurant qu'ils expriment votre sentiment...

Voici une manière d'exprimer l'attitude de l'offrande de soi: levez vos mains lentement jusqu'à ce qu'elles soient étendues devant vous, vos bras parallèles au plancher... Maintenant tournez doucement vos mains de façon à ce que les paumes soient tournées en haut, vos doigts rapprochés et droits... Puis levez lentement la tête jusqu'à ce que vous regardiez vers le ciel... Si vos yeux sont fermés, ouvrez-les maintenant avec la même lenteur... Regardez vers Dieu...

> Gardez ce geste pendant une minute... puis laissez vos mains doucement retrouver leur position originelle et votre tête s'incliner jusqu'au niveau de l'horizon... Arrêtez-vous un instant pour intérioriser la prière d'offrande que vous venez de faire sans paroles... Et reprenez ce rite une fois de plus...
>
> Exécutez ce rite trois ou quatre fois... ou aussi souvent que vous y trouverez de la dévotion...
>
> Un geste différent de celui que je viens de suggérer pour exprimer l'offrande de soi est le suivant : comme je l'ai suggéré plus haut, levez les mains, tournez les paumes en haut, joignez les doigts et tenez-les droit... Ensuite vous rapprochez les paumes pour former une coupe ou un calice... Lentement rapprochez cette coupe de votre poitrine... Puis levez doucement la tête vers le ciel, comme indiqué plus haut... Demeurez dans cette position pendant une minute.

Autre procédé, celui-ci pour exprimer son désir de Dieu, pour l'accueillir, lui ou la création entière : levez mains et bras jusqu'à ce qu'ils soient tendus devant vous, parallèles au plancher... Puis ouvrez-les tout grands comme pour donner une accolade... Fixez l'horizon avec un vif désir...

Gardez cette posture pendant une minute, puis revenez à votre posture originelle, prenez un moment pour intérioriser la prière que vous venez de faire. Puis répétez le geste tant qu'il sera chargé de sens...

Les gestes que j'ai suggérés dans cet exercice ne sont que des exemples. Trouvez vos propres gestes pour exprimer l'amour... la louange... l'adoration...Ou encore, mimez quelque chose que vous voulez dire à Dieu. Faites-le lentement et avec autant de grâce que possible, de manière à faire de ce mouvement une danse rituelle...

Si vous vous sentez impuissants, par exemple, et incapables de prier, si vous vous sentez démunis, exprimez-le en vous dépouillant de vos vêtements, en vous prosternant sur le sol et en étendant les bras en forme de croix... attendant dans le silence que Dieu verse ses grâces sur votre forme prosternée...

Lorsque vous priez avec votre corps, vous donnez puissance et *corps* à votre prière. Et ceci est nécessaire surtout lorsque vous vous sentez incapables de prier, quand votre esprit est distrait, votre cœur de pierre et votre esprit éteint. Essayez alors de vous tenir en présence de Dieu avec une posture très pieuse, les mains pieusement jointes devant vous, avec un regard suppliant dirigé vers Dieu... Quelque chose de cette dévotion que vous exprimez avec votre corps pourrait bien filtrer jusqu'à votre esprit et après quelque temps vous pourriez trouver beaucoup plus facile de prier.

Il arrive qu'on encoure de la difficulté à prier parce que dans la prière on ne prête pas attention à son corps : on oublie d'emmener son corps dans le temple saint de Dieu. Vous dites que vous êtes debout ou assis en la présence du Seigneur ressuscité, mais vous êtes affalés sur votre chaise ou votre posture est très négligée... De toute évidence, la présence vivante de Dieu ne vous a pas encore saisis. Si toute votre attention se portait sur lui, cela paraîtrait dans votre corps.

Je termine ce chapitre par un autre exercice que vous pouvez pratiquer en groupe, comme celui où vous recouriez aux paumes de vos mains :

> Fermez les yeux... Apaisez-vous à l'aide d'un des exercices de prise de conscience...
>
> Et maintenant, lentement levez votre visage vers Dieu... Gardez vos yeux fermés... Que dites-vous à Dieu en levant ainsi vers lui votre visage? Demeurez dans ce sentiment ou cette communication pendant quelques instants... Puis prenez conscience le plus possible de la position de votre visage... des sensations qu'il éprouve... Après quelques instants, demandez-vous de nouveau ce que vous exprimez à Dieu en levant ainsi le visage et maintenez cette interrogation pendant quelque temps...

Dixième exercice : L'attouchement de Dieu

Voici une variante de la prière de *dévotion* par des exercices portant sur les sensations corporelles qui vous aidera si vous hésitez à voir ces exercices comme de la prière ou de la contemplation réelles.

Reprenez un des exercices de sensation corporelle... Prenez quelque temps pour expérimenter en diverses parties de votre corps des sensations aussi nombreuses et aussi subtiles que possible...

Maintenant, faites la réflexion suivante : Chaque sensation que je perçois si légère et subtile soit-elle, résulte d'une réaction bio-chimique qui ne pourrait se produire sans la toute-puissance de Dieu... Sentez la puissance de Dieu à l'œuvre dans la production de chacune de ces sensations...

Sentez que Dieu vous touche dans chacune de ces sensations qu'il produit... Percevez l'attouchement de Dieu en diverses parties de votre corps : il est rude, doux, agréable, douloureux...

Ceux qui désirent faire l'expérience de Dieu et s'inquiètent de n'y être pas encore parvenus me demandent avec anxiété comment ils peuvent l'obtenir. L'expérience de Dieu n'est pas nécessairement quelque chose de sensationnel, qui sorte de l'ordinaire. Il y a sans doute une expérience de Dieu qui diffère de la plupart des expériences auxquelles nous sommes habitués : il y a le silence profond dont j'ai parlé plus haut, l'obscurité rayonnante, le vide comblant. Il y a des éclairs d'éternité ou d'infini, soudains et inexplicables, qui nous rejoignent d'une façon inattendue, au beau milieu de notre travail ou de notre jeu.

Ajoutons qu'en présence de la beauté ou de l'amour, nous avons l'impression d'être transportés hors de nous-mêmes... Il est rare que nous considérions ces expériences comme sensationnelles ou extraordinaires. Nous y faisons à peine attention. Nous ne reconnaissons pas leur véritable nature et nous poursuivons notre recherche de la grande *expérience de Dieu* qui viendra transformer nos vies.

Il faut vraiment si peu pour faire l'*expérience de Dieu*. Il suffit que vous trouviez le calme, l'immobilité et que vous deveniez conscients des sensations de votre main... Là se trouve Dieu, vivant et œuvrant en vous, vous touchant, intensément près de vous... Sentez-le. Faites l'expérience de lui !

La plupart de gens considèrent une expérience comme celle-ci comme trop terre-à-terre. Faire l'expérience de Dieu, c'est certainement beaucoup plus que percevoir les sensations de sa main droite ! Ces gens ressemblent aux Juifs qui scrutaient l'avenir dans l'attente d'un Messie glorieux, sensationnel, alors que le Messie était auprès d'eux, sous la forme d'un homme appelé Jésus de Nazareth.

Nous oublions trop facilement qu'une des grandes leçons de l'Incarnation, c'est que Dieu se trouve dans l'ordinaire. Vous désirez voir Dieu? Regardez le visage de l'homme qui est à vos côtés. Vous voulez entendre Dieu? Écoutez le cri d'un enfant, un rire sonore dans une fête, le bruissement des arbres sous le vent. Vous voulez sentir Dieu? Tendez la main pour saisir quelqu'un. Ou encore touchez cette chaise sur laquelle vous êtes assis, le livre que vous êtes en train de lire. Ou tout simplement calmez-vous, prenez conscience des sensations de votre corps, sentez la toute-puissance de Dieu à l'œuvre en vous et à quel point il est près de vous. Emmanuel. Dieu avec nous.

Onzième exercice: Les sons et les bruits

Si je ne prends pas soin de choisir un endroit tranquille pour mes groupes de contemplation, certains des membres, inévitablement, se plaignent des bruits autour d'eux. La circulation de la rue. Les éclats d'une radio. Le claquement d'une porte. La sonnerie d'un téléphone. Il semble que tous ces sons viennent troubler leur quiétude et leur paix et les distraire.

On considère que certains sons favorisent le silence et la prière: les cloches d'une église au crépuscule, le chant des oiseaux au petit matin, l'orgue discrètement touché dans une vaste église. Personne ne s'en plaindra ! Et pourtant, il n'existe pas de son, sauf celui dont l'intensité risque de blesser vos tympans, qui doive troubler votre silence et votre paix. Si vous apprenez à accueillir dans votre contemplation tous les sons environnants (à supposer qu'ils importunent votre prise de conscience durant votre contemplation), vous découvrirez qu'au cœur de tous les bruits se trouve un silence profond. Voilà pourquoi j'aime que mes sessions de groupes de prière aient lieu en des endroits qui ne sont pas entièrement silencieux. Aussi, une salle au-dessus d'une rue affairée me convient-elle admirablement.

Voici un exercice qui vous aidera à faire votre contemplation au milieu des sons :

> Fermez les yeux. Bouchez-vous les oreilles avec les pouces. Couvrez vos yeux avec la paume de vos mains.
>
> Maintenant que vous n'entendez aucun des bruits environnants, écoutez celui de votre respiration.
>
> Après dix respirations complètes, posez doucement les mains sur vos genoux. Gardez les yeux fermés. Écoutez maintenant attentivement tous les bruits autour de vous, aussi nombreux que possible, les bruits considérables, les bruits ténus ; ceux qui sont proches et ceux qui sont loin...
>
> Après quelque temps, écoutez ces bruits sans les identifier (bruit de pas, d'une horloge, de la circulation...) Écoutez la multitude des bruits ambiants à la manière d'un tout...

Les bruits nous distraient lorsque nous tentons d'y échapper, de les repousser hors du champ de notre conscience, lorsque nous protestons contre leur présence. Et en ce dernier cas, en plus de nous distraire, ils nous irritent. Si vous les acceptez, si vous en prenez conscience, vous constaterez qu'au lieu de vous distraire et de vous irriter, ils vous aident à parvenir au silence. Et vous verrez, à l'expérience, combien cet exercice peut vous détendre.

C'est aussi une bonne contemplation. Et vous pourriez y appliquer la théorie que je vous ai exposée sur la manière de développer en vous le Cœur qui saisit Dieu. Au lieu de mobiliser votre esprit pour prendre conscience des sensations corporelles, vous pouvez l'orienter vers la prise de conscience des bruits environnants, pendant que votre esprit mystique, votre Cœur, s'ouvre peu à peu et devient attentif à Dieu. Si, toutefois, cette théorie ne vous agrée pas, voici comment vous pouvez rendre plus nette la contemplation dans cet exercice :

> Écoutez tous les sons autour de vous, comme on vient de l'indiquer dans l'exercice précédent...
>
> Assurez-vous d'être attentifs même au moindre des sons. Un son est souvent formé de plusieurs autres... sa hauteur et son intensité varient... Voyez combien de ces nuances vous pouvez percevoir...

Maintenant prenez conscience pas tellement des sons environnants, que de votre acte de les écouter...

Quel sentiment éprouvez-vous en vous rendant compte que vous pouvez entendre? De la gratitude... de la louange... de la joie... de l'amour...?

Revenez maintenant à l'univers des sons... et prenez conscience des sons, puis de votre acte de les entendre...

Puis réfléchissez au fait que chaque son est produit et soutenu par la toute-puissance de Dieu... Dieu *résonne* tout autour de vous... Demeurez dans cet univers de sons... Demeurez en Dieu.

La capacité de voir Dieu à l'œuvre en toute chose est un des traits de la mentalité des Hébreux que nous trouvons dans la Bible. Alors que nous nous attachons presque exclusivement aux causes secondes, les Hébreux semblaient, eux, s'arrêter presque exclusivement à la Cause première. Lorsque leurs armées perdaient une bataille, c'était Dieu qui les vainquait: leur défaite ne s'expliquait pas par la maladresse de leurs généraux! C'était Dieu qui faisait pleuvoir. Si les sauterelles ravageaient leurs récoltes, c'était Dieu qui les avait envoyées. Ils avaient même l'audace de dire que Dieu endurcissait le cœur des méchants!

Leur vision du réel était sans doute partielle: ils semblaient ignorer totalement les causes secondes. Notre vision moderne du réel est tout autant, sinon plus, grossière, partielle; nous semblons ignorer totalement la Cause première. Si votre mal de tête disparaît, alors que les Hébreux auraient dit : «*Dieu vous a guéri*», nous disons, nous «*Dieu n'a rien à voir avec cela, c'est l'aspirine qui vous a guéri.*» En réalité, c'est évidemment Dieu qui vous a guéri par l'intermédiaire de l'aspirine. Nous avons cependant presque entièrement perdu notre sens de l'Infini à l'œuvre en nos vies. Nous sommes insensibles à Dieu qui dirige nos destinées par l'intermédiaire de nos gouvernants, qui guérit nos blessures émotives par l'intermédiaire de nos conseillers, qui nous redonne la santé par l'intermédiaire de nos médecins, qui informe chaque événement qui nous arrive, qui envoie chaque personne qui entre dans notre vie, qui fait tomber la pluie, qui joue dans le vent autour de nous, qui nous touche dans chaque sensation que nous éprouvons et produit les sens qui nous enveloppent pour que nos tympans les enregistrent et que nous l'entendions, lui !

En guise d'agréable complément à cet exercice, on peut demander au groupe ou à son animateur de chanter une antienne à voix douce. On pourrait avantageusement chanter le mot sanscrit OM. L'idée, c'est de chanter une phrase ou une syllabe, de faire une courte pause de silence, puis de chanter à nouveau. Vous pouvez même faire cet essai lorsque vous contemplez seul. L'important, c'est d'écouter non seulement la musique du chant, mais aussi le silence qui suit chaque phrase ou chaque mot que vous chantez.

Il m'arrive souvent d'introduire, à intervalles réguliers, un peu de chant dans une contemplation silencieuse de groupe. Si le groupe sait écouter, le silence s'en trouve approfondi. On peut obtenir un résultat semblable en frappant à intervalles réguliers un gong qui sonne agréablement. Frappez le gong, écoutez la résonance, écoutez le son qui va s'éteignant, écoutez le silence qui suit.

Douzième exercice : La concentration

Voici un exercice de pure prise de conscience.

Choisissez un objet sur lequel se portera principalement votre attention : je suggère que vous choisissiez les sensations d'une partie de votre corps, *ou* votre respiration *ou* les sons autour de vous.

Centrez votre attention sur cet objet de façon que, si votre attention se déplace vers autre chose, vous vous en rendiez compte immédiatement.

Supposons que vous avez choisi votre respiration comme objet central de votre attention. Concentrez-vous alors sur votre respiration... Il est fort probable qu'après quelque temps votre attention se déplace vers autre chose : une pensée, un son, un sentiment... Pourvu que vous vous en rendiez compte, vous ne devez pas considérer ce déplacement comme une distraction. Il importe cependant que vous preniez conscience du déplacement pendant qu'il a lieu ou immédiatement après. Ne le comptez comme distraction que si vous vous en rendez compte longtemps après qu'il s'est produit.

Supposons que vous choisissez la respiration comme objet central de votre attention. Voici à peu près comment je décrirais votre prise de conscience: *Je respire... je respire... Maintenant je pense... pense... pense... Maintenant j'écoute un bruit... j'écoute... j'écoute... Maintenant je suis agacé... agacé... Maintenant je m'ennuie... m'ennuie... m'ennuie...*

Lorsque, durant cet exercice, votre esprit divague, cela n'est pas considéré comme une distraction, pourvu que vous vous en *rendiez compte*. Une fois devenus conscients que votre attention s'est dirigée vers un autre objet, tenez-vous-en à celui-ci (penser, écouter, sentir...) pendant quelque temps, puis revenez à l'objet central de votre attention...

Vous pourrez devenir si habiles à prendre conscience de vous-mêmes que vous deviendrez conscients non seulement que votre attention se dirige vers quelque objet, mais que vous désirez être attentifs à autre chose. Tout comme lorsque vous voudrez bouger la main, vous commencerez par prendre conscience du désir qui surgit en vous de le faire, puis de votre consentement à ce désir, de la réalisation de ce désir, du mouvement de votre main qui s'amorce... Chacune de ces activités s'exécute dans une infime fraction de seconde, si bien que vous ne pourrez pas les distinguer l'une de l'autre, jusqu'à ce que vous soyez devenus presque totalement silencieux et immobiles, et votre conscience aussi aiguë que le tranchant d'un rasoir.

La conscience de soi est parfois considérée comme une forme d'égoïsme; on exhorte donc les gens à s'*oublier* eux-mêmes et à se tourner vers les autres. Pour comprendre à quel point ce genre de conseil peut être désastreux, vous n'avez qu'à écouter l'enregistrement de l'entrevue d'un conseiller bien intentionné, ouvert mais inconscient, avec son client. Si ce bon conseiller ne se rend pas compte de ce qui se passe en lui-même, il ne se rendra certainement pas compte de ce qui se passe en profondeur chez son client ou de ce qui se passe entre eux deux au cours de l'échange. Il est donc moins en mesure de venir en aide à son client, et même risque de lui faire du tort. La conscience de soi est un puissant moyen pour accroître son amour de Dieu et du prochain, pour le surélever. Et l'amour, en retour, s'il est sincère, approfondit la conscience de soi.

Ne cherchez pas de moyens compliqués pour développer la conscience que vous avez de vous-mêmes. Commencez par des choses simples, par ressentir votre corps, percevoir les choses autour de vous; puis, passez aux exercices que je viens de suggérer, et bientôt vous observerez les bienfaits de la tranquillité et de l'amour qu'une conscience de soi surélevée entraîne avec elle.

Treizième exercice :
Trouver Dieu en toutes choses

Cet exercice récapitule la plupart de ceux qui ont précédé.

> Faites n'importe lequel des exercices précédents de prise de conscience. Par exemple, placez au centre de votre attention la sensation de votre corps... Observez, pas seulement les sensations qui s'offrent spontanément à votre conscience, les plus grossières, mais également les plus subtiles... Autant que possible, ne donnez pas de noms aux sensations (brûlure, engourdissement, picotement, démangeaison, froid...). Percevez seulement les sensations sans leur apposer d'étiquettes... Faites la même chose avec les sons... Captez-en le plus possible... N'essayez pas d'identifier leurs sources... Écoutez ces sons sans les étiqueter...
>
> À mesure que vous avancez dans cet exercice, vous remarquerez qu'un grand calme et un silence profond vous pénètrent : prenez brièvement conscience de ce calme et de ce silence...
>
> Goûtez comme il est bon d'être là, de n'avoir rien à faire; tout simplement d'être. Être.

Pour ceux qui sont plus portés à la dévotion :

> Faites l'exercice précédent jusqu'à ce que vous sentiez le calme pénétrer en vous...

Prenez conscience, pendant quelques instants, de ce calme, de ce silence... Ensuite, exprimez-vous à Dieu sans paroles. Imaginez que vous êtes muets et ne pouvez communiquer qu'avec vos yeux et votre respiration. Dites au Seigneur, sans paroles : *Seigneur, il est bon d'être ici avec vous.* »

Ou encore, ne *communiquez* pas du tout avec le Seigneur : reposez-vous seulement en sa présence.

Voici, à l'intention de ceux qui sont portés à la dévotion, un exercice rudimentaire pour *trouver Dieu en toutes choses.*

Revenez au monde des sens. Prenez une conscience aussi vive que possible de l'air que vous respirez... des sons autour de vous... des sensations que vous éprouvez dans votre corps...

Sentez Dieu dans l'air, les sons, les sensations...

Reposez-vous dans tout ce monde des sens. Reposez-vous en Dieu... Abandonnez-vous à tout ce monde des sens (sons, sensations tactiles, couleurs...)...

Abandonnez-vous à Dieu...

Quatorzième exercice : Prendre conscience de l'autre

Jusqu'ici, tous les exercices que nous avons faits reposaient sur la conscience de soi et sur la conscience de Dieu à travers soi, parce qu'il n'existe pas de réalité plus proche de Dieu que vous-mêmes et que vous n'expérimenterez rien qui le soit. Saint Augustin avait donc raison d'insister pour que l'homme soit restitué à lui-même, afin qu'il devienne un marchepied vers Dieu. Dieu est le fondement de mon être, le Moi de mon moi ; et je ne puis descendre profondément en moi-même sans entrer en contact avec lui.

La conscience de soi est également un moyen pour développer sa conscience de l'autre. Je ne puis me rendre compte des sentiments des autres que dans la mesure où je saisis mes propres sentiments. Je ne réussis à les aimer et à ne leur faire aucun tort que dans la mesure où je suis conscient de mes réactions à eux. Lorsque je deviens sensiblement conscient de moi-même, j'acquiers en même temps une conscience affinée de mon frère. Si j'ai peine à me rendre conscient de la réalité qui m'est la plus proche, moi-même, comment ne pas avoir de difficulté à prendre conscience de Dieu et de mon frère ?

L'exercice de prise de conscience de l'autre que je vais proposer cette fois-ci ne traite pas, comme vous vous y attendiez probablement, de la prise de conscience de nos semblables. Je vais commencer par quelque chose de plus facile : prendre conscience du reste de la création. À partir de là, vous pourrez passer à l'homme. Au cours de cet exercice, je vous demande d'acquérir une attitude de vénération, de respect pour toute la création inanimée, pour tous les objets qui vous entourent.

Certains grands mystiques nous disent que lorsqu'ils parviennent au niveau de l'illumination, ils se sentent pénétrés d'un mystérieux sentiment de profonde vénération. Vénération pour Dieu, pour la vie sous toutes ses formes et aussi pour la création inanimée. Et ils ont tendance à personnaliser la création tout entière. Ils ne traitent plus les personnes comme des choses. Ils ne traitent plus les choses comme des choses, mais comme si elles étaient devenues des personnes pour eux; et en conséquence, leur respect et leur amour des personnes grandissent.

François d'Assise était l'un de ces mystiques. Il voyait dans le soleil, la lune, les étoiles, les arbres, les oiseaux, les animaux, ses frères et ses sœurs, des membres de sa famille à qui il parlait avec amour. Saint Antoine de Padoue est allé jusqu'à prêcher aux poissons! Pour les rationalistes que nous sommes, c'était de la folie, bien sûr. Mais du point de vue mystique, c'était sage, personnalisant et sanctifiant.

Plutôt que de vous amener à lire là-dessus, j'aimerais vous suggérer d'en faire l'expérience. Voici donc un exercice, qui suppose que momentanément vous mettiez de côté vos préjugés d'*adultes*, que vous deveniez semblables au petit enfant qui parle à sa poupée avec tout son sérieux ou à François d'Assise qui en ferait autant avec le soleil et la lune et les animaux. Si vous devenez de petits enfants, du moins temporairement, vous pourrez découvrir un royaume des cieux, et apprendre des secrets que Dieu cache d'ordinaire aux savants et aux prudents.

Choisissez un objet que vous utilisez fréquemment : une plume, une tasse... un objet que vous pouvez facilement tenir dans vos mains...

Déposez cet objet sur les paumes de vos mains ouvertes. Fermez les yeux et prenez conscience le plus pleinement possible de cet objet sur vos paumes : de son poids... puis de la sensation qu'il provoque sur vos paumes...

Maintenant explorez-le avec vos doigts ou avec vos deux mains. Il importe que vous le fassiez avec délicatesse et vénération : explorez sa rudesse ou sa douceur, sa dureté ou sa mollesse, sa chaleur ou son froid... Puis touchez-le avec vos lèvres... vos joues... votre front... le revers de votre main...

Vous avez pris connaissance de votre objet à l'aide du sens du toucher... Cette fois-ci, prenez-en connaissance et conscience à l'aide du sens de la vue. Ouvrez les yeux et regardez-le sous différents angles... Observez chacun de ses détails : ses couleurs, sa forme ses diverses parties...

Sentez-le... goûtez-le, si c'est possible... écoutez-le en l'approchant de votre oreille...

Puis déposez-le doucement sur vos genoux et parlez-lui... Commencez par l'interroger sur lui-même... sur sa vie, ses origines, son avenir... Et écoutez-le vous révéler le secret de son être et de sa destinée... Écoutez-le vous expliquer ce que l'existence signifie pour lui... Votre objet renferme quelque sagesse secrète à vous révéler sur vous-mêmes...

Demandez-la-lui et écoutez ce qu'il a à vous dire... Il y a quelque chose que vous pouvez donner à cet objet... Qu'est-ce? Qu'est-ce que cet objet attend de vous?...

Et maintenant mettez-vous en la présence de Jésus-Christ, vous et cet objet, en la présence du Verbe de Dieu, en qui et pour qui toute chose a été créée. Écoutez bien ce qu'il a à dire à vous et à cet objet... Et en réponse, vous deux, que dites-vous?... Regardez votre objet une fois de plus... Votre attitude à son endroit a-t-elle changé?... Votre attitude à l'endroit des autres objets qui vous entourent a-t-elle quelque peu changé?

Bienfaits personnels de la prise de conscience

Quand, pour la première fois, vous vous adonnerez au genre de contemplation proposé dans les exercices précédents, vous aurez probablement des doutes sur leur valeur. Ils vous paraîtront n'être ni de la méditation, ni de la prière, au sens traditionnel de ces termes. Si la prière consiste à causer *avec Dieu*, il n'y a ici que très peu de paroles ou pas du tout. Si la méditation est faite de réflexion, de lumière, d'intuitions et de résolutions, il n'y a pas grand place pour la méditation dans ces exercices.

Vous sortez de ces exercices sans pouvoir indiquer aucun résultat concret de tous les efforts que vous y avez investis. Rien que vous puissiez consigner dans votre journal spirituel, du moins au début et peut-être jamais. Souvent vous sortirez de là avec un sentiment de malaise de n'avoir rien fait, ni rien obtenu. Cette forme de prière est pénible, surtout pour les jeunes et pour ceux qui font grand cas de la réussite, et pour qui l'effort importe plus que l'être.

Je me rappelle très bien un jeune homme qui semblait ne rien retirer de ces exercices. Il trouvait cela très frustrant, de s'asseoir sans bouger, de s'exposer à un vide, bien qu'il admît ne pas pouvoir penser ou utiliser son esprit autrement, lorsqu'il était en prière. Il passait la plupart du temps qu'il consacrait à ces exercices à combattre les distractions — généralement sans succès — et il me suppliait de lui proposer quelque chose qui donnerait un semblant de valeur au temps qu'il passait à prier et aux efforts qu'il y déployait. Heureusement, il a persévéré dans ces exercices qui lui paraissaient frustrants et, après environ six mois, il est venu m'informer qu'il en tirait un immense profit, beaucoup plus que des prières, des méditations, des lumières et des résolutions d'auparavant. Qu'était-il arrivé? Il avait sûrement trouvé plus de paix dans ces exercices. Ses distractions n'avaient pas diminué. Il trouvait ces exercices aussi frustrants qu'auparavant. Rien n'avait changé dans les exercices eux-mêmes. C'est sa vie qui avait changé! Ces efforts constants, pénibles, remplis de distractions qu'il faisait jour après jour pour s'exposer à ce qui lui semblait être le néant et le vide, dans l'espoir de simplement apaiser son esprit et de parvenir à un certain silence en se concentrant sur ses sensations corporelles, sa respiration ou les sons, lui procuraient une force nouvelle pour vivre chaque jour, une force insoupçonnée et si considérable qu'il ne pouvait douter de sa présence dans sa vie.

Voilà un des grands bienfaits de cette forme de prière : un changement en soi qui semble s'opérer sans effort. Toutes les vertus que vous essayiez auparavant d'acquérir en exerçant la *puissance de votre volonté* semblent maintenant vous venir sans effort : sincérité, simplicité, bonté, patience... Les penchants semblent tomber sans qu'il soit besoin de prendre des résolutions ou de fournir des efforts : l'usage du tabac ou l'abus de l'alcool, les faux besoins et les dépendances excessives.

Quand cela se produira chez vous, vous comprendrez que le temps que vous avez consacré à faire ces exercices vous aura été grandement profitable.

Bienfaits de la prise de conscience pour un groupe

Si vous faites ces exercices en groupe, vous remarquerez qu'ils profitent également au groupe. Le plus grand de ces profits sera un accroissement de l'amour entre les membres du groupe. On fait aujourd'hui des tentatives nombreuses, très louables, pour intensifier l'union des cœurs entre les membres des communautés et des familles : dialogues, partages en groupe et rencontres de groupe. Il existe une autre manière d'obtenir ce résultat : à l'aide de la contemplation en groupe, quand tous les membres du groupe s'assoient ensemble, pendant au moins une demi-heure chaque jour, de préférence en rond (j'ignore pourquoi cela aide, mais le fait est là) dans un silence complet. Il importe que le silence ne soit pas uniquement extérieur — pas de mouvements physiques dans la salle, pas de remuements, pas de verbalisation dans la prière — mais également intérieur : les membres du groupe, à l'aide d'exercices semblables à ceux qui ont été suggérés jusqu'ici s'efforcent de créer en eux un silence de paroles et de pensées.

Un homme marié m'a dit que lui et son épouse passaient une heure chaque matin à pratiquer cette forme de contemplation, en face l'un de l'autre, les yeux fermés, et qu'au terme de l'heure ils goûtaient une union des cœurs et un amour réciproque qui surpassent de beaucoup tout ce qu'ils avaient vécu auparavant même lorsque leur amour avait une couleur romantique. Je dois ajouter qu'ils sont devenus tous deux des maîtres dans l'art de pratiquer la contemplation et de faire le silence dans l'esprit.

Un prêtre qui, sous ma direction, a fait une retraite de trente jours en compagnie d'un groupe de quarante autres prêtres qui lui étaient totalement inconnus, même de nom, m'a raconté à la fin de la retraite, qu'il se sentait plus près de ce groupe que de tout autre avec lequel il avait vécu jusque-là. Son sentiment d'être profondément uni à ce groupe s'explique par le simple fait que chaque soir, pendant environ quarante-cinq minutes, le groupe faisait en commun une contemplation entièrement silencieuse.

Le silence, lorsqu'il est profond, peut créer l'union. Parfois les mots qu'on emploie empêchent la communication ! Un directeur de retraite qui anime des retraites très semblables aux retraites de Zen, où les participants passent des heures ensemble dans un silence complet et vidant leur esprit de tout contenu de pensée, me disait que, pour la pratique de la contemplation, il réunit toujours ses retraitants dans une salle. Cela aide beaucoup à rassembler ces gens — jusqu'à quatre-vingts retraitants, d'ordinaire entièrement étrangers les uns aux autres — et à leur donner un profond sentiment de communion entre eux.

La contemplation en groupe est plus facile

Il vous sera probablement plus facile et plus profitable de faire ces exercices d'attention en vous joignant à un groupe de gens qui, eux aussi, essaient de parvenir au silence que ces exercices procurent.

Il importe que tous les membres du groupe essaient sérieusement de pratiquer cette forme de contemplation. La paresse ou la lassitude mentale d'un membre ralentira les autres, tout comme les efforts de quelques « contemplatifs » aideront considérablement les autres. À plusieurs reprises, des retraitants m'ont confié combien différente était leur contemplation, lorsqu'ils la faisaient avec un groupe au lieu de la faire seuls dans leur chambre. Sans, bien sûr, en faire une règle absolument universelle, j'ai été frappé de voir que lorsqu'au cours d'une retraite bouddhiste un retraitant ou l'autre éprouvait de la difficulté à se concentrer, notre directeur de retraite l'invitait à s'asseoir près de lui — et qu'invariablement cela semblait l'aider.

Est-ce qu'une certaine communication inconsciente s'établit entre des individus qui gardent un profond silence, en étant physiquement rapprochés les uns des autres ? Cet exercice produit-il des « vibrations » qui ont un effet bénéfique sur ceux qui sont assez près pour s'y exposer ?

Telle était la théorie de notre directeur de retraite bouddhiste. Il recommandait également avec ardeur une autre pratique que j'ai trouvée bénéfique : dans la mesure du possible, toujours faire votre contemplation au même endroit, dans le même coin, un coin ou une pièce réservés à cette fin, ou dans un endroit que les autres utilisent pour la prière et la contemplation. Pourquoi? À cause des bonnes vibrations qui, selon lui, se dégagent de la pratique de la contemplation et qui semblent se prolonger en cet endroit longtemps après que la contemplation a pris fin. Que ce soit la vraie raison ou non, je sais, d'après mon expérience et celle des autres, que cela aide de prier en des endroits «sacrés», qu'une fréquente pratique de la contemplation a sanctifiés.

Valeur spéciale de la prise de conscience du corps

J'ai souvent suggéré que vous choisissiez pour votre contemplation de prendre conscience de votre respiration ou des sons ou de vos sensations corporelles. Ces objets de contemplation ont-ils tous une valeur égale? À mon avis, prendre conscience des sensations corporelles offre particulièrement cet avantage, en plus du profit spirituel qu'on peut en tirer, de procurer bien des bienfaits psychologiques à la personne qui s'y adonne jusqu'à ce que chaque partie de son corps fournisse une sensation.

Il existe un rapport très étroit entre le corps et la psyché : tout tort fait à un élément semble affecter l'autre. Et réciproquement, toute amélioration de la santé de l'un profite à l'autre. Quand la prise de conscience de votre corps devient si fine que chacune de ses parties fourmille de sensations, les tensions se relâchent de beaucoup, qu'elles soient physiques ou émotives. J'ai connu des gens qui ont été délivrés de maladies psychosomatiques, telles que l'asthme ou les migraines, ou encore de complexes émotifs, tels que ressentiments ou peurs névrotiques, grâce à une pratique constante de la prise de conscience des sensations corporelles.

Il arrive parfois que cet exercice vous ouvre l'inconscient et vous inonde peut-être de sentiments et d'images intenses qui proviennent d'ordinaire de sentiments et d'images réprimés qui ont trait au sexe et à la colère. Vous ne courez ici aucun danger, pourvu que vous poursuiviez votre exercice de prise de conscience sans accorder d'importance ou d'attention aux fantasmes et aux sentiments. Assurez-vous seulement, comme je l'ai dit plus haut, que vous ne passerez pas plusieurs heures d'affilée à prendre conscience de votre respiration sans avoir à votre disposition un conseiller compétent.

Si donc vous désirez entreprendre de façon sérieuse et systématique la pratique de ces exercices, je vous recommande de commencer par prendre conscience de votre respiration et des sons pendant quelques minutes au début de chaque exercice, puis de passer à la prise de conscience des sensations corporelles, d'y accorder une importance plus grande, en parcourant toutes les parties de votre corps jusqu'à ce que celui-ci devienne une masse fourmillante de sensations. Puis demeurez dans cette connaissance de votre corps pris comme un tout, jusqu'à ce que la distraction vous vienne et que vous ayez besoin de passer de nouveau d'une partie à l'autre. Vous tirerez de là le bienfait spirituel d'ouvrir votre cœur au divin, en plus des bienfaits que cet exercice procure à votre psyché et à votre corps.

Un dernier mot d'encouragement : la paix et la joie que je vous ai promises comme récompense pour la pratique fidèle de ces exercices sont des sentiments auxquels vous n'êtes probablement pas accoutumés; elles seront, au début, si subtiles qu'elles ne vous paraîtront guère être des sentiments ou des émotions. Si vous ne vous en rendez pas compte, vous pourriez vous décourager trop facilement.

La jouissance de cette paix et de cette joie est un sentiment qui s'acquiert. Quand vous dites à un enfant que la bière est agréable à boire, il s'approche de son verre de bière avec sa propre expérience de ce qui est *agréable*, et il est étonné, déçu de constater que la bière n'a rien de la douceur qu'il goûte dans ses boissons habituelles. On lui a dit que la bière était *agréable* à boire et sa notion de l'*agréable* se limite au *sucré*. N'abordez pas l'exercice de la contemplation avec quelque idée préconçue que ce soit, mais avec le désir de faire la découverte de nouvelles expériences, des expériences qui, au début, ne vous sembleront pas en être du tout, et d'acquérir des goûts tout nouveaux.

RECOURS À L'IMAGINATION

Quinzième exercice: Là et ici

Notre imagination recèle une source insoupçonnée et inexploitée de puissance et de vie. Je vais vous en donner la preuve à l'aide d'une expérience, avant de vous initier à l'usage de l'imagination dans la contemplation.

> Fermez les yeux. Prenez une posture reposante. Faites le calme en vous pendant quelques instants en vous servant d'un des exercices de prise de conscience. Pour faire travailler l'imagination, il importe que votre esprit soit calme, reposé et paisible...
>
> Maintenant, retirez-vous en imagination dans quelque endroit où dans le passé vous avez goûté le bonheur... Une fois l'endroit choisi, passez quelque temps à vous rappeler chaque détail de cet endroit... Pour y arriver servez-vous de chacun de vos *sens* imaginatifs: voyez les objets dans cet endroit, les couleurs, écoutez de nouveau chaque son, touchez goûtez, humez, si la chose est possible, jusqu'à ce que cet endroit vous devienne aussi vivement présent que possible...
>
> Qu'êtes-vous en train de faire?... de ressentir...

Après avoir passé environ cinq minutes dans cet endroit, revenez ici, à votre présence dans cette pièce où nous sommes maintenant.

Remarquez le plus grand nombre possible de détails de votre situation actuelle... Remarquez, en particulier, ce que vous y ressentez... Occupez-vous à cela pendant quelque trois minutes...

Revenez maintenant à l'endroit où vous vous étiez retirés en imagination... Que ressentez-vous maintenant ?... Cet endroit ou vos sentiments ont-ils changé ?...

Revenez de nouveau à cette pièce-ci... et continuez à faire la navette entre cet endroit et notre pièce, et observez chaque fois ce que vous ressentez et ce qui change dans vos sentiments... Après quelques minutes, je vais vous demander d'ouvrir les yeux, de mettre fin à cette expérience et de nous en faire part, si vous le désirez.

Au cours de l'échange qui suit cet exercice, la plupart des gens me disent qu'ils se sentent rafraîchis et revigorés. Ils se retirent en imagination en quelque endroit où ils ont fait l'expérience, dans le passé, de l'amour ou de la joie, d'une paix ou d'un silence profonds... Quand ils reconstituent la scène par l'imagination, ils peuvent retrouver également les émotions qu'ils y ont éprouvées alors.

Le retour à la pièce où ils se trouvent présentement s'avère souvent pénible... Mais à mesure qu'ils continuent à faire la navette entre l'endroit de leur imagination et la pièce, ils rapportent avec eux de cet *endroit imaginé* bien des émotions positives qu'ils y ont ressenties. Ils en reviennent rafraîchis et revigorés. Et, si étrange que cela puisse paraître, leur perception de la réalité actuelle s'en trouve aiguisée. Loin de contribuer à fuir le réel, comme bien des gens le redoutent, quand ils se retirent dans l'univers de leur imagination, ce retrait les aide à se plonger plus profondément dans la réalité actuelle, à mieux la percevoir et à l'affronter avec une vigueur renouvelée. La prochaine fois que vous vous sentirez fatigués et ennuyés, faites l'essai de cette expérience et voyez ce que vous en retirez. Vous êtes peut-être de ces gens qui utilisent rarement la puissance de leur imagination et éprouvent de la difficulté, au début, à imaginer quelque chose avec vivacité. Et alors, il vous faudra quelque pratique, avant que vous puissiez tirer pleinement profit de cet exercice revigorant. Avec de la persévérance, vous finirez par réussir.

La prochaine fois que vous tenterez cette expérience, voyez à ce que votre imagination soit vraiment à l'œuvre et que vous ne vous contentiez pas de vous rappeler la scène ou l'événement. La différence entre l'imagination et la mémoire, c'est qu'avec l'imagination je revis l'événement dont je me souviens. Je ne suis plus conscient de ce qui en ce moment-ci m'environne. En ce qui concerne mon esprit et ma conscience, je suis actuellement dans l'endroit de mon imagination. C'est ainsi que, si j'imagine une scène sur le bord de la mer, je m'imagine entendre à nouveau le fracas des vagues, je sens de nouveau le soleil taper sur mon dos nu, je sens le sable chaud sous mes pieds... et, par suite, j'éprouve, une fois de plus, tous les sentiments que j'ai éprouvés quand cela s'est produit la première fois.

Auparavant, quand les retraitants me disaient: «Je ne peux pas prier avec mon imagination... j'ai une bien pauvre imagination», j'acceptais leur dire et leur conseillais d'utiliser une autre forme de prière. Aujourd'hui, je suis convaincu qu'avec un peu de pratique n'importe qui peut accroître la puissance de son imagination et ainsi acquérir d'immenses richesses émotives et spirituelles.

Si vous croyez être incapables d'utiliser votre imagination si peu que ce soit, faites l'essai suivant: Fixez un objet devant vous pendant quelque temps. Puis fermez les yeux et voyez si vous pouvez vous représenter mentalement cet objet. Remarquez combien de détails vous avez pu retenir. Puis ouvrez les yeux et regardez de nouveau l'objet, relevant ce qui manquait dans votre image mentale. Fermez les yeux de nouveau et voyez combien de détails de votre objet vous pouvez vous rappeler, avec quelle netteté vous le voyez... Vous pouvez faire un essai semblable en vous servant de votre sens imaginatif de l'ouïe : faites jouer quelques mesures de musique sur un magnétophone... rappelez-vous-les mentalement... repassez la bande et remarquez ce qui vous a échappé... C'est ainsi que peu à peu vous accroîtrez le pouvoir de votre imagination.

Spiritualisons maintenant l'expérience que j'ai proposée plus haut, de façon que vous en tiriez quelque profit spirituel.

> Fermez les yeux et calmez-vous pendant quelques instants...
>
> Maintenant, en imagination, retirez-vous en un endroit où par le passé vous avez fait l'expérience de Dieu...
>
> Procédez comme je l'ai suggéré dans l'expérience précédente... faites la navette entre cet endroit-là et celui-ci... Voyez si vous pouvez vous rappeler quelque chose de votre expérience spirituelle passée et rapporter avec vous dans le présent un peu de cette force spirituelle que cette expérience vous a donnée.

Pour réussir ces exercices d'imagination et en tirer le maximum de profit il faut que vous vous trouviez dans un état de profonde solitude intérieure. Il avivera vos images. Idéalement, elles devraient être aussi vives que la réalité du monde des sens.

Vous n'avez pas à craindre que ces exercices fassent de vous un rêveur ou quelqu'un qui fuit la réalité. La rêverie n'est dangereuse que lorsque le rêveur ne peut plus faire la différence entre la réalité sensible et la réalité imaginaire, ou lorsqu'il n'a pas la force de quitter ses rêves ou d'y revenir à son gré. Pourvu que vous gardiez cette force, vous pouvez entreprendre ces exercices sans aucune crainte.

Seizième exercice :
Un endroit où prier

Disposer d'un lieu qui favorise la prière est une des choses qui nous aident le plus à prier. J'ai parlé plus haut de lieux qui renferment de bonnes *vibrations*. Ces lieux mis à part, vous avez peut-être remarqué combien un beau lever ou coucher de soleil aidait votre recueillement et votre prière. Ou encore le scintillement des étoiles dans le ciel sombre. Ou la lune brillant à travers les arbres.

Le contact avec la nature aide la plupart des gens à prier, et de façon notable. Les gens, bien sûr, ont leurs préférences : le bruit des vagues qui se brisent sur le sable au bord de la mer, ou une rivière qui coule doucement, ou le calme et la beauté autour d'un lac, ou la paix d'une cime de montagne... Avez-vous jamais remarqué que Jésus, ce maître dans l'art de prier, prenait la peine de gravir une hauteur pour y prier ?

Comme tous les grands contemplatifs, il savait fort bien que le lieu où nous prions influe sur la qualité de notre prière.

Malheureusement, la plupart parmi nous vivent dans un environnement qui les isole de la nature; les lieux que nous sommes contraints de choisir pour prier sont ternes et ne contribuent guère à élever nos esprits vers Dieu. Raison de plus pour nous livrer longuement et avec amour, chaque fois que nous le pouvons, à des lieux qui nous aident à prier. Prenez le temps de contempler la lune ou les étoiles dans la nuit, de vous pénétrer de son atmosphère, ou de celle du rivage de la mer ou du sommet de la montagne, ou de quelque autre lieu. Et après, vous pourrez porter en votre cœur ces images, et, bien que physiquement vous soyez éloignés de ces lieux, ils demeurent vivement gravés dans votre mémoire, si bien qu'il vous sera possible d'y revenir en imagination. Et dès maintenant, faites l'essai suivant :

> Après avoir mis quelque temps à retrouver votre calme, retirez-vous en imagination en un lieu susceptible de favoriser votre prière: le bord de la mer, la rive d'un cours d'eau, le sommet d'une montagne, une église silencieuse, une terrasse qui donne sur un ciel étoilé, un jardin inondé par le clair de lune...
>
> Voyez le lieu aussi vivement que possible... Avec toutes ses couleurs... Écoutez tous les sons: les

vagues, le vent dans les arbres, les insectes dans le soir...

Élevez maintenant votre cœur vers Dieu et dites-lui quelque chose.

Ceux parmi vous qui sont familiers avec les Exercices Spirituels de saint Ignace de Loyola se rappellerons ce qu'on appelle d'ordinaire la «composition de lieu». Ignace recommande que nous reconstruisions le lieu de la scène que nous allons contempler. Mais dans le texte original en espagnol, il parle non pas d'une *composition de lieu* mais d'une composition, en voyant le lieu. En d'autres mots, ce n'est pas le lieu que vous composez mais vous-mêmes, lorsque vous le voyez en imagination. Si vous avez réussi à faire l'exercice qui précède, vous saurez exactement de quoi parle saint Ignace.

Et au centre de votre cœur, vous aurez toujours un refuge de paix où vous pourrez vous retirer quand vous aurez besoin de calme et de solitude, même si extérieurement vous êtes au milieu d'un marché ou dans un train bondé.

Dix-septième exercice: Le retour en Galilée

Les amoureux qui, après s'être querellés, veulent se réconcilier trouveront grand profit à se rappeler les moments heureux qu'ils ont passés ensemble. Dieu rappelait sans cesse aux Hébreux, par la voix des prophètes, la lune de miel passée avec son peuple quand il fit d'Israël son épouse dans le désert, tandis que maintenant, dans la terre du lait et du miel, cette épouse l'a oublié et cherche de faux amants.

En temps de crise spirituelle, il est bon de suivre le conseil que donnait le Seigneur ressuscité à ses Apôtres abattus: «Retournez en Galilée». Revenez aux jours joyeux passés dans la compagnie du Seigneur. Revenez, et vous le trouverez de nouveau. Probablement d'une façon nouvelle, comme les Apôtres. Mais il n'est pas nécessaire d'attendre les jours de crise pour faire ce retour. Si nous le faisions souvent, nous pourrions peut-être éviter ces crises.

> Revenez en imagination à quelque scène où vous avez goûté la bonté du Seigneur, son amour pour vous... sous n'importe quelle forme... Arrêtez-vous à ce souvenir et cueillez une fois de plus l'amour de Dieu... Puis revenez au présent et parlez à Dieu.
>
> Ou bien revenez à un événement où vous vous êtes sentis très près de Dieu... où vous avez éprouvé une intense joie spirituelle et de la consolation...
>
> Il importe que vous re-viviez l'événement dans votre imagination, au lieu de simplement vous le rappeler... Prenez tout le temps qu'il faudra... À re-vivre cet événement, vous allez éprouver de nouveau les sentiments qu'il avait provoqués en vous: de la joie, de l'intimité ou de l'amour... Puis veillez à ne pas fuir ces sentiments, mais à les *garder aussi long-*

> *temps que vous le pourrez...* jusqu'à ce que vous éprouviez un sentiment de paix et de contentement.
>
> Puis revenez au présent... Parlez au Seigneur pendant quelque temps, et terminez l'exercice.

Il est important que je vous prescrive de demeurer dans ces sentiments agréables, parce que, si étrange que cela puisse paraître, la plupart des gens tolèrent peu les sentiments positifs. Ils se sentent si profondément dénués de valeur que d'instinct ils ne consentent que peu de temps aux sentiments agréables, ou ils s'en sentent indignes, ou éprouvent de la culpabilité, ou quelque autre sentiment du genre... Surveillez cette tendance chez vous et ayez soin de garder les sentiments qui surgissent en vous lorsque vous revivez des moments délicieux que vous avez passés en compagnie du Seigneur.

Certains saints avaient l'habitude de noter leurs expériences mystiques. Ils rédigeaient une sorte de journal de leurs rencontres avec le Seigneur. Je ne vous recommande pas d'écrire longuement sur vos expériences spirituelles. Mais si votre expérience a été forte, une brève notation peut vous aider plus tard à retourner en Galilée... Ce qu'il y a de tragique dans nos rencontres avec le Seigneur, tout comme dans nos rencontres avec nos amis et avec ceux qui nous sont chers, c'est que nous ne sommes que trop portés à les oublier !

Dix-huitième exercice :
Les mystères joyeux de votre vie

Chacun de nous porte en son cœur un album de belles images de son passé. Souvenirs des événements qui ont fait notre joie. Je voudrais maintenant que vous ouvriez cet album pour vous rappeler autant de ces événements que vous le pourrez…

Si vous n'avez jamais fait cet exercice auparavant, il est peu probable qu'à votre premier essai vous trouviez plusieurs événements de ce genre. Mais peu à peu vous en découvrirez de plus en plus qui sont enfouis dans votre passé et vous aurez plaisir à les exhumer et à les revivre en présence du Seigneur. Bien plus, lorsque de nouveaux événements vous apporteront de la joie, vous en chérirez le souvenir, ne les laisserez pas se perdre aussi facilement et porterez sans cesse avec vous un immense trésor où vous pourrez puiser à votre gré, pour apporter une joie et une vigueur nouvelles à votre existence.

J'imagine que Marie a fait cela, lorsqu'elle a gardé soigneusement en son cœur les précieux souvenirs de l'enfance du Christ sur lesquels elle allait plus tard revenir avec amour. Faites retour à quelque scène où vous avez profondément senti qu'on vous aimait… Comment cet amour vous a-t-il été manifesté ? Avec des mots, des regards, des gestes, un service rendu, une lettre...? Arrêtez-vous à cette scène aussi longtemps que vous éprouverez quelque chose de la joie qui fut la vôtre au moment de l'événement.

Faites retour à quelque scène où vous avez éprouvé de la joie... Qu'est-ce qui a provoqué cette joie en vous? Une bonne nouvelle?... L'accomplissement de quelque désir?... Un spectacle de la nature?... Retrouvez pour un long moment la scène originelle et les sentiments qui l'ont accompagnée...

Ce retour à des scènes du passé où vous avez éprouvé de l'amour et de la joie est un des meilleurs exercices que je connaisse pour accroître sa santé psychologique. Plusieurs parmi nous vivent de ces expériences qu'un psychologue appelle des *expériences-sommets.* Malheureusement, au moment où l'expérience est vécue, bien peu sont à même de s'y abandonner. Si bien qu'ils ne retirent rien ou fort peu de chose de cette expérience. Ils doivent dès lors faire retour en imagination à ces expériences et peu à peu atteindre leur plénitude. Si vous faites ce retour, si souvent que vous le fassiez, vous constaterez que vous en tirez toujours de quoi vous nourrir. Ces expériences semblent avoir des réserves inépuisables. Elles renferment une joie qui ne finit pas.

Assurez-vous, cependant, que vous ne revenez pas à ces scènes pour les regarder en quelque sorte de l'extérieur. Il faut les revivre, non pas les regarder. Rejouez-les, participez-y à nouveau. Votre représentation doit en être si vive que vous ayez l'impression que l'expérience se produit actuellement pour la première fois.

Vous ne tarderez pas à expérimenter la valeur psychologique de cet exercice et à acquérir un respect nouveau pour l'imagination comme source de vie et d'énergie. L'imagination est un très puissant instrument pour la thérapie et le développement de la personnalité. Si elle se fonde sur le réel (lorsque vous vous représentez des événements et des scènes qui ont vraiment eu lieu), elle a le même effet (agréable ou pénible) que le réel lui-même. Si dans la faible lumière du soir j'aperçois un ami qui marche vers moi et m'imagine qu'il est un ennemi, toutes mes réactions, psychologiques et psysiologiques, seront les mêmes que si en réalité l'ennemi était là. Lorsqu'un homme assoiffé dans le désert s'imagine voir de l'eau, l'effet sera exactement le même que s'il voyait vraiment de l'eau. Lorsque vous ferez retour à ces scènes où vous avez éprouvé de l'amour et de la joie, vous jouirez de tous les bienfaits qui vous viennent de l'expérience de l'amour et de la joie... et ces bienfaits sont considérables.

Quel est le sens spirituel d'un exercice comme celui-là? D'abord il brise la résistance instinctive que la plupart des gens opposent à l'accueil de l'amour et de la joie. Il les rend plus capables d'accepter l'amour et d'accueillir la joie dans leur vie. Pour autant, il accroît leur aptitude à expérimenter Dieu, à ouvrir leur cœur à son amour et au bonheur qui accompagne l'expérience qu'on a de lui. Celui qui ne se permet pas de se sentir aimé par son frère qu'il voit, comment se permettra-t-il de se sentir aimé par le Dieu qu'il ne voit pas?

En second lieu, cet exercice aide à surmonter ce sentiment naturel d'être sans valeur, sans mérite et coupable: c'est là un des principaux obstacles que nous plaçons sur le chemin de la grâce de Dieu. De fait, la grâce de Dieu a comme effet premier, quand elle pénètre notre cœur, de nous donner le sentiment d'être intensément aimés — et aimables. Des exercices comme celui-ci préparent le sol pour cette grâce, en nous disposant à reconnaître que de fait nous sommes aimables.

Voici une autre façon de tirer du profit spirituel de cet exercice: revivez une de ces scènes où vous vous êtes sentis profondément aimés, ou bien où vous avez éprouvé une joie profonde...

Cherchez et trouvez la présence du Seigneur dans cette scène... De quelle manière y est-il présent?

Voilà une manière d'apprendre comment trouver Dieu dans tous les événements de votre vie, passée aussi bien qu'actuelle.

Dix-neuvième exercice : Les Mystères douloureux

Il arrive qu'on porte en son cœur des plaies du passé qui saignent encore. Avec le temps, on finit par ne plus les sentir, sans que pour autant leur effet nuisible ne persiste, si elles ne sont pas guéries.

Par exemple, un enfant est accablé de chagrin par la perte de sa mère. Le chagrin peut être étouffé ou oublié; il n'en continue pas moins d'influer sur la vie de cet enfant devenu homme. Il peut trouver difficile de s'approcher des gens par crainte de les perdre, ou il peut ne pas pouvoir accueillir l'amour qu'on lui offre, ou peu à peu il se désintéresse de la vie et des gens en général, parce que, au niveau émotif, il se tient encore près de la tombe de sa mère, il refuse de la laisser partir et il attend d'elle un amour qu'elle ne peut plus lui donner.

Ou encore, un ami a pu vous blesser profondément. Cette blessure se transforme en ressentiment, un ressentiment qui couve en vous et s'embrouille avec l'amour très sincère que vous avez pour lui, si bien que, pour quelque raison mystérieuse, vos rapports avec lui perdent leur chaleur.

Ou quelque chose a pu vous effrayer durant votre enfance, vous laissant un souvenir désagréable et une tendance à la peur et à l'angoisse chaque fois qu'aujourd'hui se présentent des situations semblables.

Ou vous portez en vous un sentiment de culpabilité dont vous ne pouvez vous libérer et qui ne vous mène à rien.

Il vous servira de revenir sur ces événements qui ont suscité ces sentiments négatifs, pour les purger de l'effet néfaste qu'ils peuvent avoir en vous aujourd'hui.

> Revenez sur quelque scène de votre passé où vous avez éprouvé de la peine ou du chagrin, de la crainte ou de l'amertume... Revivez cet événement... Mais, cette fois-ci, cherchez-y la présence du Seigneur... De quelle façon y est-il présent...?
>
> Ou encore, imaginez que le Seigneur lui-même prend part à cet événement... Quel rôle y joue-t-il?... Parlez-lui. Demandez-lui la signification de ce qui se passe... Écoutez sa réponse...

Il est bon de revenir sur l'événement en imagination, à plusieurs reprises, jusqu'à ce que le sentiment négatif qu'il provoque ne vous affecte plus. Jusqu'à ce que vous puissiez vous déprendre de ce qui vous cause du chagrin, pardonner à qui vous a fait de la peine, affronter calmement ce qui auparavant causait votre effroi... Jusqu'à ce que vous puissiez revivre l'événement en paix. Peut-être même avec des sentiments de joie et de gratitude.

Il est fort possible qu'à revivre ces événements, comme je viens de le suggérer, vous commenciez à comprendre que le doigt du Seigneur est là... Il se peut également que votre ressentiment ou votre colère ou votre amertume se retournent contre lui. Si cela se produit, il importe que vous fassiez face à ces sentiments et que vous les exprimiez sans crainte au Seigneur.

Le Seigneur sait ce qu'il y a dans votre cœur et vous ne gagnez rien à le cacher. Bien au contraire, en exprimant franchement vos sentiments — quitte à le faire avec un langage dur ou amer — vous dégagez l'atmosphère et vous vous rapprochez du Seigneur. N'est-ce pas merveilleux que vous puissiez avoir une telle confiance en lui, compter sur l'amour inconditionnel qu'il a pour vous au point de pouvoir lui dire, à lui aussi, des choses dures ! Il est de conséquence que Job, au milieu de ses épreuves, ait eu pour le Seigneur des mots durs, alors que ses compagnons scandalisés le réprimandaient et le pressaient de se blâmer au lieu de tenir de tels propos au sujet du Seigneur ; mais lorsque le Seigneur apparut, à la fin, il disculpa Job et manifesta du mécontentement à l'endroit de ses amis bien intentionnés mais peu sincères !

Vingtième exercice :
Se libérer du ressentiment

En refusant de pardonner aux autres les torts réels ou imaginaires qu'il nous ont causés, nous empoisonnons notre santé physique, émotive et spirituelle, et parfois très profondément. On entend souvent dire : « Je peux pardonner, mais je ne peux pas oublier », ou « Je voudrais pardonner, mais je ne peux pas ». En réalité, ces gens veulent dire par là qu'ils ne veulent pas pardonner. Ils ne veulent pas renoncer au contentement qu'ils éprouvent à nourrir leur ressentiment. Tout simplement, ils ne veulent pas s'en défaire. Il exigent que l'autre reconnaisse sa culpabilité, qu'il s'excuse, qu'il fasse réparation, qu'il soit puni... sans quoi ils n'abandonneront pas leur ressentiment et ne se libéreront pas du poison qui ronge leur système.

Ou encore, il se peut qu'ils désirent sincèrement se défaire de ce ressentiment, mais il continue à saigner en eux, parce qu'ils n'ont pas eu l'occasion de l'exprimer et de *l'expulser de leur système.* Il arrive souvent qu'un désir sincère n'arrive pas à remplacer le besoin de cracher, du moins en imagination, toute sa colère et tout son ressentiment. Je rappelle, sans qu'il soit besoin d'insister, qu'il est essentiel que votre cœur soit libre de toute trace de ressentiment, si vous voulez progresser dans l'art de la contemplation.

Voici une manière simple de vous défaire des ressentiments que vous nourrissez :

En général, et en premier lieu, il est bon de chasser le ressentiment de votre système. Pour cela, imaginez que vous voyez là devant vous la personne contre qui vous en avez. Dites-lui votre ressentiment, exprimez-lui votre colère avec autant de force que vous le pouvez. Ne vous embarrassez pas de choisir vos mots ! Il se peut qu'un effort physique, par exemple, frapper sur un matelas ou un oreiller, vous aide à chasser votre ressentiment. Il n'est pas rare qu'on accumule du ressentiment tout simplement parce qu'on redoute de se montrer fort. Et alors, on retourne contre soi-même la fermeté qu'il aurait fallu, à bon droit, manifester à l'endroit des autres. Le pardon et la douceur, pratiqués par des gens qui n'ont pas assez de cran pour dire et défendre ce qu'ils savent être vrai, ne sont pas des vertus, mais un masque pour cacher leur lâcheté.

Après avoir exprimé tout votre ressentiment, mais seulement *après,* considérez tout cet incident, qui a provoqué votre ressentiment, du point de vue de l'autre. Mettez-vous à sa place et expliquez toute l'affaire : que devient l'incident, lorsqu'il est vu à travers ses yeux ? Rendez-vous compte qu'il arrive rarement que quelqu'un vous insulte, vous attaque ou vous blesse par malice.

Dans la plupart des cas, à supposer même qu'on ait voulu vous blesser, cela était dû à quelque souffrance profondément enracinée dans cette autre personne. Les gens vraiment heureux ne sont pas méchants. De plus, dans la très grande majorité des cas, vous n'êtes pas personnellement la cible visée par l'autre. Il s'en prend à quelque chose, ou à quelqu'un, qu'il a projeté sur vous. Demandez-vous si toutes ces considérations ne devraient pas vous inspirer de la compassion pour lui, plutôt que de la colère et du ressentiment.

Si tous ces efforts demeurent vains, il se peut fort bien que vous soyez ce genre de personne qui, inconsciemment mais activement, s'emploie à accumuler des froissements et des ressentiments. Il est étrange, mais vrai, que certains créent des situations où ils vont être méprisés ou froissés et, une fois qu'ils ont reçu ce qu'ils recherchaient, ils s'abandonnent au mauvais sentiment qu'ils n'ont cessé de rechercher ! Vous surmonterez cette tendance chez vous, si vous neutralisez ce que vous attendez des autres. En d'autres mots, gardez vos attentes, exprimez-les même à l'autre personne si cela vous agrée, mais laissez-la entièrement libre, rendez-vous compte qu'elle n'est nullement tenue de répondre à vos attentes, en tant qu'elles sont de vous. Cela vous évitera d'éprouver un mauvais sentiment, si votre attente n'est pas comblée. Bien des gens passent leur vie à ne pas digérer le comportement de leurs semblables; ils laissent entendre implicitement: *« Si tu m'aimais vraiment, tu... »* (ne me critiquerais pas, me parlerais doucement, n'oublierais pas ma fête, me rendrais le service que je te demande, etc.). Ils ont grand peine à comprendre que toutes ces attentes n'ont rien à voir avec un amour véritable de la part de l'autre personne.

Finalement, pour donner plus de force à votre décision de renoncer à votre ressentiment (et c'est là le secret: *voulez-vous* vraiment y renoncer, vous accommoder avec la vie et avec cette personne? Êtes-vous de ceux qui tiennent au ressentiment, tout en se plaignant de ne *pouvoir* s'en débarrasser?), faites ceci:

> Représentez-vous Jésus sur la croix... Prenez tout le temps voulu pour le voir vivement en détail...
>
> Passez ensuite à la scène de votre ressentiment... Restez-y quelque temps...
>
> Revenez à Jésus crucifié, contemplez-le de nouveau..
>
> Allez et venez de l'incident qui a causé votre ressentiment à la scène de Jésus en croix... jusqu'à ce que vous remarquiez que votre ressentiment s'éloigne de vous et qu'ensuite vous vous sentiez libre, joyeux, le cœur léger.

Si, après quelque temps, vous éprouvez de nouveau des sentiments de rancœur, ne vous en étonnez pas. Usez de patience avec eux. Il en coûte trop pour que la plupart des gens renoncent à leurs sentiments négatifs et retrouvent la joie du premier coup.

Vingt-et-unième exercice : La chaise vide

J'ai mis au point cet exercice après avoir entendu le récit que m'a fait un prêtre d'une visite rendue à un malade. Il remarqua une chaise vide près de son lit et lui demanda ce qu'elle faisait là. Le malade lui répondit : « J'ai placé Jésus sur cette chaise et j'étais en train de lui parler quand vous êtes entré... Pendant des années, je trouvais extrêmement difficile de prier, jusqu'à ce qu'un ami m'explique que la prière consiste à parler à Jésus. Il m'a dit de placer une chaise vide près de moi, d'imaginer Jésus assis sur cette chaise, de lui parler et d'écouter ce qu'il avait à répondre. Depuis lors je n'ai pas eu de difficulté à prier. »

Quelques jours plus tard, rapporte le récit, la fille du malade est venue au presbytère informer le prêtre que son père était mort. Elle a dit : « Je l'ai laissé seul pendant quelques heures. Il avait l'air si serein. Et quand je suis rentrée dans la chambre, je l'ai trouvé mort. Mais j'ai remarqué quelque chose d'étrange : sa tête, au lieu de reposer sur son lit, était appuyée sur la chaise à côté de son lit. » Essayez maintenant l'exercice qui suit, même si, à première vue, il peut vous paraître enfantin :

> Figurez-vous que vous voyez Jésus assis près de vous, mettant ainsi votre imagination au service de votre foi. Jésus n'est pas ici comme vous l'imaginez, mais il y est certainement et votre imagination vous aide à vous en rendre compte.
>
> Ensuite parlez à Jésus... Si personne n'est près de vous, faites-le à voix basse...
>
> Écoutez ce que Jésus vous dit en retour... ou ce que vous imaginez qu'il vous dit...

Si vous ne savez trop quoi dire à Jésus, racontez-lui les événements de votre journée et commentez chacun d'eux. Telle est la différence entre la pensée et la prière : quand nous pensons, nous nous parlons d'ordinaire à nous-mêmes ; quand nous prions, nous parlons à Dieu. Ne prenez pas la peine d'imaginer les détails de son visage, de son vêtement, etc. Cela ne pourrait que vous distraire. Sainte Thérèse d'Avila, qui souvent priait de cette façon, dit qu'elle ne réussissait jamais à imaginer le visage de Jésus... Elle sentait seulement qu'il était près d'elle, tout comme dans une pièce obscure on sent clairement la présence d'une personne qu'on ne peut pas voir.

Cette méthode de prière est un des plus rapides moyens que je connaisse de faire l'expérience de la présence du Christ. Figurez-vous que Jésus se tient à vos côtés durant toute la journée. Au milieu de vos occupations, parlez-lui souvent. Parfois, vous ne pourrez que jeter un regard sur lui, communiquer avec lui sans paroles... Sainte

Thérèse, qui préconisait cette forme de prière, nous promet qu'avant longtemps la personne qui l'emploie fera l'expérience d'une intense union avec le Seigneur. On me demande parfois comment on peut *rencontrer* dans sa vie le Seigneur ressuscité. Je ne saurais leur suggérer meilleure façon d'y parvenir.

Vingt-deuxième exercice :
La contemplation ignatienne

Voici une forme de prière par l'imagination que recommande saint Ignace de Loyola dans ses Exercices Spirituels et que plusieurs saints ont souvent utilisée. Elle consiste à PRENDRE une scène de la vie de Christ et à la revivre, à y prendre part comme si elle se produisait actuellement et comme si vous participiez à cet événement. La meilleure manière de vous expliquer cette forme de prière, c'est de vous la faire pratiquer. Je choisirai pour ce type d'exercice un passage de l'évangile de Jean.

> « Après cela et à l'occasion d'une fête juive, Jésus monta à Jérusalem. Or il existe à Jérusalem, près de la Porte des brebis, une piscine qui s'appelle en hébreu Bethzatha. Elle possède cinq portiques sous lesquels gisait une foule de malades, aveugles, boiteux et impotents... (Ils attendaient l'agitation de l'eau ; car, à certains moments, l'ange du Seigneur descendait dans la piscine ; l'eau s'agitait et le premier qui y entrait après que l'eau avait bouillonné était guéri quelle que fût sa maladie.)

Il y avait là un homme infirme depuis trente-huit ans. Jésus le vit couché et, apprenant qu'il était dans cet état depuis longtemps déjà, lui dit : « Veux-tu guérir ? » L'infirme lui répondit : « Seigneur, je n'ai personne pour me plonger dans la piscine au moment où l'eau commence à s'agiter ; et, le temps d'y aller, un autre descend avant moi. »

Jésus lui dit : « Lève-toi, prends ton grabat et marche. » Et aussitôt l'homme fut guéri ; il prit son grabat, il marchait. »

Prenez quelque temps, maintenant, pour vous assurer du calme, en vue de la contemplation, par un des exercices de prise de conscience...

Représentez-vous la piscine Bethzatha... ses cinq porches... ce qu'il y a autour... Prenez le temps d'imaginer le décor avec autant de précision que possible, pour vous *composer vous-mêmes, en voyant l'endroit...* Quelle sorte d'endroit est-ce? Est-il propre ou sale? Vaste ou restreint?... Observez l'architecture... le temps qu'il fait...

Le décor étant en place, laissez la scène s'animer : voyez les gens sur le bords de la piscine... Combien sont-ils?... Quelle sorte de gens?... Comment sont-ils vêtus?... Que font-ils?... De quelle infirmité sont-ils affligés?... Que disent-ils?... Que font-ils?...

Il ne suffit pas que vous observiez toute la scène de l'extérieur, comme s'il s'agissait d'un film sur l'écran. Vous devez y prendre part... Que faites-vous en cet endroit?... Pourquoi y êtes-vous venus?... Quels sont vos sentiments pendant que vous regardez la scène et les gens?... Que faites-vous?... Parlez-vous à quelqu'un?... À qui?...

Remarquez maintenant l'infirme dont parle le passage de l'évangile... Où est-il, dans cette foule?... Comment est-il vêtu?... Y a-t-il quelqu'un avec lui?... Approchez-vous de lui et parlez-lui... Que lui dites-vous, ou que lui demandez-vous?... Quelle est sa réponse?... Consacrez du temps à recueillir le plus de détails possible sur sa vie et sur sa personne... Quelle impression vous fait-il?... Pendant que vous causez avec lui, quels sont vos sentiments?...

Pendant que vous lui parlez, vous remarquez du coin de l'oeil que Jésus est entré dans cet endroit... Observez bien tous ses gestes et ses mouvements... Où va-t-il?... Comment se comporte-t-il?... Quels sont, croyez-vous, ses sentiments?...

Il se dirige maintenant vers vous et vers l'infirme... Quels sont vos sentiments?... Lorsque vous vous apercevez qu'il veut parler à l'infirme, vous vous écartez... Que dit Jésus à cet homme?... Comment celui-ci répond-il?... Écoutez tout le dialogue, en complétant le récit succinct de l'évangile...

Arrêtez-vous en particulier à la question de Jésus: «Veux-tu guérir?»... Entendez Jésus commander à cet homme de se lever et de marcher... Voyez sa première réaction... son effort pour se lever... puis le miracle! Observez les réactions de l'infirme... celles de Jésus... et les vôtres...

Jésus, ensuite, se tourne vers vous... Il lie conversation avec vous... Parlez-lui du miracle qui vient tout juste d'avoir lieu...

Souffrez-vous de quelque infirmité?... Physique, émotive, spirituelle?... Parlez-en à Jésus... Qu'a-t-il à vous dire?... Écoutez ses mots: 'Veux-tu guérir?'

Voulez-vous sincèrement qu'il vous guérisse?... Accepterez-vous toutes les conséquences d'une guérison?... Voici venu pour vous un temps de grâce... Croyez-vous que Jésus peut vous guérir, qu'il veut vous guérir?... Avez-vous confiance que votre guérison sera le résultat de la foi de tout votre groupe de prière?... Écoutez-le prononcer les paroles qui ont le pouvoir de guérir, pendant qu'il pose les mains sur vous... Que ressentez-vous?... Avez-vous la certitude que les paroles que vous avez entendues vont avoir un effet sur vous, ou plutôt l'ont déjà eu, bien que sur le moment vous ne perceviez rien de sensible?...

Passez quelques instants à prier calmement en compagnie de Jésus... Ne vous découragez pas, si vos premiers essais dans ce genre de contemplation aboutissent à un échec ou ne vous procurent pas le contentement que vous en attendiez. Vous aurez probablement plus de succès par la suite. Lorsque j'anime ce genre de contemplation en groupe, j'invite les membres à nous faire part de leurs expériences. Parfois, même, nous imposons les mains sur l'un ou l'autre et nous prions sur eux au nom de Jésus.

Ce genre de contemplation présente pour plusieurs des difficultés théoriques. Ils ont peine à se lancer dans un exercice qu'ils savent être tout à fait *irréel*. C'est le cas, en particulier, à propos d'un passage comme celui que je viens de choisir ou des récits de l'enfance de Jésus. Ils ne saisissent pas la valeur symbolique (ce qui ne signifie pas *irréelle)* profonde de ces contemplations. Ils sont tellement épris de vérité historique que la vérité du mystère leur échappe. Pour eux, il n'existe pas de vérité mystique, il n'y a de vérité qu'historique.

Lorsque François d'Assise regardait avec amour Jésus déposé de la croix, il savait sûrement que Jésus n'était plus mort, qu'il n'était plus cloué à la croix, que la crucifixion était un événement passé. Lorsque Antoine de Padoue prenait l'enfant Jésus dans ses bras, se régalait de sa présence, il savait sans nul doute — lui le docteur de l'Église — que Jésus n'est plus un enfant qu'on peut tenir dans ses bras. Et cependant, ces grands saints, comme plusieurs autres, pratiquaient cette forme de contemplation et, sous ces images et ces représentations qu'ils vivaient, il se produisait dans leur coeur quelque chose de profond et de mystérieux et ils devenaient étroitement unis à Dieu dans le Christ.

C'est ainsi que Thérèse d'Avila déclarait que sa forme préférée de méditation consistait à assister à l'agonie du Christ au jardin. Et Ignace de Loyola invite ses retraitants à se faire les humbles et aimants serviteurs de Jésus et de Marie, à les accompagner dans leur voyage à Bethléem, à les servir, à converser avec eux et à tirer profit de cette manière de commerce avec eux. Les détails géographiques précis ne l'intéressent pas : bien qu'il ait lui-même visité les lieux saints et eût pu décrire avec précision Bethléem et Nazareth, il invite le retraitant à inventer son propre Bethléem, son propre Nazareth, la route vers Bethléem, la grotte où le Christ est né, etc. Il ne se préoccupait évidemment pas de l'exactitude historique, telle que nous la concevons de nos jours. La critique des formes ou les découvertes récentes de la recherche en Écriture ne l'auraient certainement pas détourné de cette forme de contemplation. Il faut entreprendre ces contemplations avec une attitude de foi, une attitude que décrit admirablement l'histoire préférée du saint mystique hindou Ramakrishna et de son disciple Vivekananda. C'est l'histoire d'un pauvre garçon qui devait fréquenter l'école du village voisin. Il s'y rendait le matin avant le lever du jour et rentrait dans son village à la nuit tombante. Obligé de traverser une forêt pour se rendre à son école, il eut peur de le faire seul et demanda à sa mère qui était veuve de lui donner un serviteur comme compagnon. Sa mère lui dit : « Mon fils, nous sommes trop pauvres pour nous payer un serviteur. Demande à ton Frère Krishna de t'accompagner à l'aller et au retour. Il est le Seigneur de la Jungle. Il t'accompagnera sûrement, si tu le lui demandes. »

C'est exactement ce que fit notre petit garçon. Le lendemain, il appela son Frère Krishna, et quand Krishna apparut et apprit ce qu'il voulait, il acquiesça à la demande du garçon. Et tout alla pour le mieux pendant quelque temps.

Quand vint la fête de l'instituteur du village, on s'attendit à ce que tous les enfants lui apportent des cadeaux. La veuve dit à son fils : « Nous sommes trop pauvres, mon fils, pour offrir un cadeau à ton maître. Demande à ton Frère Krishna de te donner un cadeau pour lui. » C'est ce que fit Krishna : il lui donna un pot de lait que le garçon déposa, tout fier, aux pieds du maître, au milieu des autres cadeaux que les écoliers avaient apportés. Le maître feignit de ne pas voir le cadeau, et alors l'enfant se mit à se plaindre, comme un enfant peut le faire : « Personne ne prête attention à mon cadeau... Personne ne semble aimer mon cadeau »... Le maître dit alors à son serviteur : « Pour l'amour du ciel, verse ce lait dans un bassin et redonne au garçon son pot, sans quoi nous n'aurons pas la paix ! »

Le serviteur versa le lait dans un vase et il allait rendre le pot, quand il remarqua, à sa surprise, que le pot était encore plein de lait. Il le vida de nouveau et, une fois de plus, il se remplit automatiquement jusqu'au bord. Le maître, informé de la chose, fit venir le garçon et lui demanda où il avait pris ce pot de lait. « Frère Krishna me l'a donné », lui répondit le garçon. « Frère Krishna ? Qui est-il ? » « C'est le Seigneur de la Jungle », lui dit le petit garçon, d'un ton solennel. « Chaque jour, il m'accompagne à l'aller et au retour sur le chemin de l'école.» «Eh bien, dit le maître, incrédule, nous aimerions le voir, ce Krishna dont tu parles. Conduis-nous chez lui.»

Alors, le garçon se remit en marche vers la jungle, à la tête du petit groupe formé par le maître, le serviteur et ses compagnons de l'école. Il se réjouissait à l'idée de présenter tout ce monde à son merveilleux Frère Krishna. Parvenu à l'orée de la jungle, là où chaque jour il rencontrait Krishna, il l'appela, confiant de le voir apparaître comme toujours... Mais il n'eut pas de réponse. Il appela de nouveau, et encore. De plus en plus fort. Mais pas de réponse... Ses compagnons se moquaient de lui et avaient beaucoup de plaisir... Lui, en pleurs, se demandait ce qui avait bien pu arriver.

«Frère Krishna, viens, je t'en prie», cria-t-il à travers ses larmes. «Si tu ne viens pas, ils vont dire que je suis un menteur. Ils ne me croiront pas.» Après quelques instants de silence, il entendit la voix très nette de Krishna lui dire: «Mon fils, je ne peux pas venir. Je viendrai le jour où ton maître aura la pureté de ton cœur et ta foi simple d'enfant.»

Ce qui me vint à l'esprit, quand j'entendis cette histoire, ce furent les apparitions du Seigneur ressuscité. Il n'apparut qu'à ceux qui avaient foi en lui; il ne pouvait être vu que par eux. Il dit: «Croyez, et alors vous verrez.» Nous disons:

« Qu'est-ce qui me prouvera, alors, que ce n'est pas ma foi qui a 'produit' la vision ? » La question est déplacée : les « preuves » ne l'intéressent pas. Croyez d'abord, après vous saurez. C'est comme si l'on disait à quelqu'un : Aime-moi d'abord, après tu verras ma beauté.

C'est dans cet esprit que nous devons aborder les contemplations ignatiennes. Une fois lancés dans celles-ci, nous saurons que, en faisant usage de notre imagination avec une simplicité d'enfant, nous serons parvenus à une vérité qui dépasse l'imagination, la vérité du mystère et des mystiques.

Vingt-troisième exercice : Imaginations symboliques

Toutes les contemplations d'imagination sont, en un sens, symboliques. Mais celles de saint Ignace ont un certain fondement historique, et il n'en va pas de même de celles que je vais vous proposer ici.

> Je vous demande d'imaginer que vous êtes assis sur le sommet d'une montagne d'où vous avez une vue sur une vaste ville. Le soleil vient de se coucher et, dans le crépuscule, les lumières de la grande ville s'allument peu à peu... Voyez-les se multiplier et finir par transformer la ville en un lac de lumières... Sans compagnie vous contemplez ce magnifique spectacle... Quels sont vos sentiments ?...
>
> Après quelque temps, vous entendez des pas derrière vous : vous savez que c'est le saint ermite qui

vit dans les parages. Il s'approche de vous et se tient à vos côtés. Il vous regarde avec douceur et se contente de vous dire : « Si vous descendez ce soir vers la ville, vous y rencontrerez Dieu. » Ceci dit, il s'éloigne, sans vous donner d'explication, ni vous laisser le temps de l'interroger...

Il vous paraît certain que cet homme sait de quoi il parle. Quelle est votre réaction ? Inclinez-vous à croire en sa parole et à aller dans la ville ? Ou préféreriez-vous demeurer là où vous êtes ?

De quelque côté que vous penchiez, je vous invite à descendre vers la ville, en quête de Dieu... Quels sont vos sentiments durant la descente ?...

Vous voici dans la banlieue de la ville et vous avez à orienter votre recherche de Dieu... Où décidez-vous d'aller ? Pour choisir le lieu où vous irez, suivez votre cœur, je vous prie, sans vous demander où vous *devriez* aller ou ce que vous *devriez* faire. Allez là où votre cœur vous dit d'aller...

Qu'est-ce qui vous arrive, une fois à cet endroit ?... Qu'y trouvez-vous ?... Qu'y faites-vous ?... Trouvez-vous Dieu ?... De quelle manière ?... Ou éprouvez-vous une déception ?... Et alors, que faites-vous ?... Décidez-vous d'aller ailleurs ?... Où ?... Ou bien demeurez-vous là où vous êtes ?...

Et maintenant, je vous demande d'imaginer autre chose. Que vous ayez trouvé Dieu ou non, choisissez quelque symbole de Dieu : quelque chose qui, à vos yeux, symbolise Dieu on ne peut mieux : le visage d'un enfant, une étoile, une fleur, un lac calme... Quel symbole choisissez-vous ?... Prenez votre temps pour choisir...

Une fois votre symbole choisi, tenez-vous respectueusement devant lui... Qu'éprouvez-vous à regarder ce symbole?... Dites-lui quelque chose...

Imaginez ensuite qu'en retour il vous parle... Qu'est-ce qu'il dit?...

Maintenant, devenez ce symbole, tenez-vous là avec respect en vous regardant... Que sentez-vous à vous voir ainsi du point de vue et dans l'attitude de ce symbole?...

Puis revenez à votre position devant ce symbole... Passez quelques instants à contempler en silence... Ensuite, dites adieu à votre symbole... Après avoir pris une minute ou deux pour ce faire, ouvrez les yeux et terminez cet exercice.

À la fin de cet exercice, d'ordinaire j'invite les membres du groupe à se faire part les uns aux autres de ce qu'ils ont vécu durant cette expérience. Souvent ils font d'étonnantes découvertes sur eux-mêmes, sur Dieu et sur leur relation à lui.

Voici une autre représentation symbolique.

On a embauché un sculpteur pour faire une statue de vous. La statue est terminée et vous allez à son studio pour voir la statue avant qu'elle ne soit exposée en public. Il vous donne la clef de la pièce où se trouve votre statue pour que vous la voyiez et que vous l'examiniez à loisir.

Vous ouvrez la porte. La pièce est sombre. Votre statue est au milieu, couverte d'une étoffe... Vous allez à la statue et enlevez l'étoffe... Puis, vous reculez et regardez la statue. Quelle est votre première impression?... Est-ce agréable ou décevant?...

Observez tous les détails de votre statue... Sa taille... le matériau dont elle est faite... Marchez autour d'elle pour l'observer sous différents angles... Regardez-la de loin, puis rapprochez-vous pour examiner les détails... Palpez la statue... voyez si elle est rude ou douce au toucher... froide ou chaude. Quelles parties de la statue vous plaisent?... ou vous déplaisent? Dites quelque chose à votre statue... Qu'est-ce qu'elle vous répond?... Et que lui dites-vous en retour?... Continuez à causer aussi longtemps que vous ou la statue avez quelque chose à dire...

Et maintenant, devenez la statue... Quelle sensation cela vous donne que d'être votre statue?... Quelle sorte d'existence avez-vous comme statue?...

Je vous demande maintenant d'imaginer, pendant que vous êtes votre propre statue, que Jésus pénètre dans la pièce... Quel regard jette-t-il sur vous?... Que ressentez-vous pendant qu'il vous regarde?... Que vous dit-il?... Que lui répondez-vous?... Poursuivez votre dialogue aussi longtemps que Jésus ou vous avez quelque chose à dire...

Après quelques instants, Jésus se retire... Maintenant revenez à vous et de nouveau regardez la statue... La statue a-t-elle changé?... Y a-t-il du changement en vous ou en vos sentiments?...

Dites maintenant adieu à votre statue... Faites-le pendant une minute, puis ouvrez les yeux.

Les imaginations, comme les rêves, sont des outils utiles pour apprendre des choses sur votre compte; car vous projetez votre vrai moi sur elles. Voilà pourquoi, lorsque vous faites part à quelqu'un ou à un groupe de vos imaginations, vous leur dévoilez probablement quelque chose de plus intime sur vous que si vous leur révéliez des secrets que vous prenez bien soin de cacher aux autres.

Les imaginations ne font pas que vous donner une connaissance intime de votre être. De manière mystérieuse elles vous changent! Vous sentez parfois que cela vous est arrivé, sans trop savoir comment et pourquoi le changement s'est produit. Il se peut fort bien que, dans les deux exercices d'imagination que je viens de suggérer, vous constatiez que vos rapports avec Dieu se sont approfondis, sans que vous puissiez l'expliquer.

Ne vous contentez pas de faire ces exercices une fois seulement. Pour en profiter pleinement, vous devez les faire à plusieurs reprises. Ensuite, donnez libre cours à votre créativité naturelle et inventez vos propres imaginations symboliques.

Vingt-quatrième exercice :
La guérison des souvenirs douloureux

Voici une variante du 19e exercice.

> Faites retour à quelque incident désagréable de votre passé récent, même sans importance. Revivez cette expérience.
>
> Maintenant, placez-vous devant le Christ en croix. Ne dites rien... Contentez-vous de regarder et de contempler... Si vous avez à communiquer, faites-le sans paroles...

Continuez à faire la navette entre l'incident désagréable et la vue de Jésus sur la croix pendant quelques minutes... Puis terminez l'exercice.

Vingt-cinquième exercice : La valeur de la Vie

Imaginez que vous allez chez le médecin pour vous informer des résultats de tests que vous avez passés. Ces tests pourraient indiquer quelque maladie grave. Comment vous sentez-vous, en vous dirigeant vers le bureau du médecin ?...

Vous êtes dans la salle d'attente... Remarquez tous les détails de la pièce... la couleur des murs, leurs décorations... le mobilier... les magazines... Y a-t-il quelqu'un d'autre qui attend le médecin ?... Si oui, observez avec soin cette ou ces autres personnes dans la pièce : leurs traits, leurs vêtements... Quels sont vos sentiments, pendant que vous attendez qu'on vous appelle ?...

Voici qu'on vous appelle... jetez un coup d'oeil sur le bureau du médecin : le mobilier, l'éclairage vif ou discret... Regardez bien le médecin : ses traits, sa tenue... Quel type d'homme est-il ?...

Il engage la conversation et vous remarquez qu'il a l'air de vous cacher quelque chose... Vous lui dites de vous parler très franchement... Puis, avec un regard très compatissant, il vous dit que les tests indiquent que vous avez une maladie incurable... Vous lui demandez combien de temps il vous reste à vivre... Il vous dit : « Deux mois de vie active tout au plus... puis un mois ou deux au lit. »

Comment réagissez-vous à cette nouvelle ?... Quels sont vos sentiments ?... Arrêtez-vous pendant quelque temps à ces sentiments... Maintenant quittez le bureau du médecin et engagez-vous dans la rue... Conservez encore vos sentiments... Regardez la rue : est-elle achalandée ou vide?... Remarquez le temps qu'il fait : est-il clair ou nuageux ? ...

Où allez-vous?... Avez-vous le goût de parler à quelqu'un?... À qui?... Vous finissez par retourner dans votre communauté. (Je suppose que vous êtes un religieux prêtre ou une religieuse... Il est facile d'adapter l'exercice à des groupes de laïcs.) Que dites-vous à votre supérieur(e)?... Aimeriez-vous que les autres membres de la communauté soient mis au courant ? ...

Votre supérieur(e) vous demande ce que vous voudriez faire durant ces deux mois de vie active qui vous restent... en laissant entendre qu'on est prêt à vous laisser choisir l'occupation que vous préférez... Que choisissez-vous de faire?... Comment comptez-vous passer ces deux mois?... Vous voici maintenant en train de souper avec la communauté... en récréation... Sont-ils informés de ce qui vous arrive?... Que ressentez-vous en leur compagnie?... Allez à votre chambre pour y écrire à votre Provincial(e) une lettre qui lui explique la situation et lui demande qu'on vous décharge définitivement de votre tâche... Que lui dites-vous dans cette lettre?... Rédigez-la mentalement dès maintenant...

La nuit est avancée... chaque membre de la communauté s'est mis au lit... Vous vous glissez dans la chapelle où tout est sombre, à part la faible lueur de la lampe du sanctuaire... Vous vous assoyez, les yeux fixés sur le tabernacle... Regardez Jésus pendant quelque temps... Que lui dites-vous?... Quels sont vos sentiments ? ...

Cet exercice a des effets trop divers pour que je les énumère ici. La plupart des gens aiment le reprendre plusieurs fois, sans cesser d'en tirer un grand profit.

Un des bénéfices que la plupart retirent de cet exercice est une grande estime et un profond amour pour la vie... Et par la suite, ils s'y plongent plus profondément, ils la goûtent et la vivent plus pleinement... Plusieurs s'étonnent de constater qu'ils ne redoutent pas la mort autant qu'ils s'y attendaient.

Il arrive trop souvent qu'il nous faille perdre une chose pour savoir l'apprécier et nous montrer reconnaissants de la posséder. Personne n'apprécie la vue autant qu'un aveugle. Personne ne fait autant de cas de la santé que le malade. Mais pourquoi attendre de perdre ces biens, pour les apprécier et s'en réjouir?

Voici d'autres exercices qui vous serviront à remplir votre vie de gratitude et d'allégresse.

> Imaginez que le médecin vient d'examiner votre vue et qu'il va vous donner le résultat de son examen... Représentez-vous la scène avec la plus grande précision, en observant tous les détails du lieu et des personnes, comme dans l'exercice précédent...
>
> Voici que le médecin vous apprend que votre vue baisse, que la science médicale est impuissante à la sauver et que, très vraisemblablement, en moins de trois ou quatre mois elle sera perdue... Quels sont vos sentiments?...

Vous vous rendez compte qu'il ne vous reste plus que trois ou quatre mois pour imprimer dans votre mémoire des scènes que vous ne verrez jamais plus... Que voudriez-vous surtout voir avant de devenir aveugle?... Observez comment vous regardez les choses depuis que vous savez que bientôt ce sera la cécité pour toujours...

Imaginez maintenant que de fait vos yeux ne voient plus... Quelle sorte d'existence menez-vous dans cet état?... Prenez le temps d'entrer dans toutes vos humeurs et tous vos sentiments... Par l'imagination parcourez une journée entière d'aveugle: depuis votre lever et votre toilette du matin jusqu'à l'heure de votre coucher... Prenez vos repas, «lisez» des livres, parlez aux gens, faites une promenade... à la manière d'un aveugle...

Ouvrez les yeux et rendez-vous compte que vous pouvez voir... Quels sont vos sentiments?... Que dites-vous à Dieu?...

Les meilleures choses de la vie sont gratuites: la vue, la santé, l'amour, la liberté et la vie elle-même. Quel dommage que nous ne sachions pas les goûter vraiment! Nous nous soucions trop de ne pas posséder en plus grande abondance des choses très secondaires: l'argent, de beaux vêtements et le renom. Je me rappelle qu'un jour je rentrais chez moi en avion et que le retard de notre vol m'agaçait. Arrivé au-dessus de l'aéroport, l'avion s'est mis à tourner en rond pendant près d'une demi-heure, ce qui ajoutait à notre retard, à cause de «problèmes techniques», pour employer le vocabulaire discret de circonstances... Cette demi-heure fut pleine de suspense et d'anxiété. Vous imaginez notre soulagement, quand nous avons fini par atterrir. Qu'était devenue notre contrariété due au retard? Il n'en restait rien. Nous étions trop heureux d'être sains et saufs... et le retard n'était plus qu'un détail dérisoire. Et cependant, il nous avait fallu la possibilité d'un grave accident pour nous faire apprécier d'avoir atterri.

J'ai lu un jour le récit d'un prisonnier nazi qui décrivit à sa famille sa joie d'être passé d'une cellule faite de quatre murs nus à une autre où par une ouverture placée haut dans un mur il pouvait apercevoir le bleu du ciel, au matin, et quelques étoiles, le soir. C'était pour lui un immense trésor. Après avoir lu cette lettre, j'ai regardé par ma fenêtre toute l'étendue du ciel... J'étais des millions de fois plus riche que ce pauvre prisonnier, et pourtant, de toute ma richesse je ne puisais pas une fraction de la joie que lui procurait la sienne, si petite. En vérité, je n'en tirais pas de joie du tout!

Songez à ce que doit être la vie pour un détenu, pour un prisonnier de camp de concentration... et une fois bien au diapason des sentiments qu'inspire cette vie, faites le tour de la ville en autobus, jouissant de tout ce que vous voyez et savourant votre liberté!

Voici encore un exercice du même genre. Par la suite, vous pourrez en inventer d'autres semblables, qui feront déborder votre cœur de gratitude envers Dieu pour toutes les belles choses que vous possédez.

> Figurez-vous que vous êtes paralysés dans un hôpital... Vous aurez avantage à vous coucher sur le plancher, si vous êtes en groupe, ou sur votre lit, si vous êtes seul(e) pour faire cet exercice. Imaginez que depuis le cou jusqu'aux pieds vous ne pouvez mouvoir un seul membre de votre corps...
>
> En imagination, passez une journée entière comme la vit un paralytique... Que faites-vous durant toute la journée?... À quoi pensez-vous?... Que ressentez-vous?... À quoi vous occupez-vous?...
>
> Malgré votre état, rendez-vous compte que vous avez encore la vue... Éprouvez-en de la gratitude... Rendez-vous compte que vous avez conservé votre ouïe... Autre motif de reconnaissance... Vous avez encore la lucidité de votre esprit, vous pouvez parler, vous exprimer, tirer plaisir de votre sens du goûter. Rendez-vous compte de tous ces dons de Dieu, avec reconnaissance... Voyez combien vous avez de richesses en dépit de votre paralysie!...
>
> Imaginez maintenant qu'après quelque temps vous commencez à réagir au traitement et que vous pouvez remuer le cou. Péniblement, au début, puis très facilement, vous pouvez tourner la tête d'un côté et de l'autre... accroître d'autant votre champ de vision. Vous pouvez désormais regarder d'un bout de la salle à l'autre, sans demander à quelqu'un d'autre de déplacer tout votre corps... Voyez combien vous avez de reconnaissance pour cela aussi...

Revenez maintenant à votre existence actuelle et rendez-vous compte que vous n'avez pas de paralysie... Remuez doucement vos doigts et remarquez comme ils vivent et se meuvent. Agitez vos orteils... remuez vos bras et vos jambes... Et pour chacun de ces membres offrez une prière d'action de grâces à Dieu...

Le jour où le moindre détail de votre vie vous inspirera de la gratitude: un train en marche, l'eau qui coule du robinet que vous ouvrez, la lumière qui vient dès que vous pressez le commutateur, les draps propres de votre lit... votre cœur sera comblé d'un profond contentement et d'une joie presque continuelle. Le secret de la joie constante, c'est la gratitude constante.

Faites l'essai de l'exercice suivant dans le domaine de vos relations humaines.

Lorsque vous êtes irrités contre un ami ou quelqu'un de votre famille, pendant quelque temps imaginez qu'il est bien pire qu'il ne le paraît actuellement, qu'il a beaucoup plus de défauts que vous ne lui en trouvez en ce moment... Puis remarquez tous les bons côtés qu'il a... Il est probable que vous l'apprécierez davantage, que vous aurez plus de gratitude à son sujet et qu'il vous sera beaucoup plus facile de lui *pardonner*.

Vingt-sixième exercice: Voir la vie sous son vrai jour

Voici une variante de l'exercice précédent, qui portait sur la valeur de la vie.

Dans le prolongement de l'exercice précédent, je vous demande cette fois-ci d'imaginer que, après les deux mois de vie active que le médecin vous avait promis, vous avez dû vous aliter... En quel endroit?... Regardez bien autour de vous... Quel genre de vie menez-vous désormais?... À quoi passez-vous votre journée?...

Représentez-vous que le soir est venu et que vous êtes seul(e)... Vous ignorez combien de jours exactement il vous reste à vivre... Comment acceptez-vous cette perspective de n'avoir plus longtemps à vivre?... de ne plus avoir d'activité?...

Dans cette solitude qui est devenue votre lot, faites un retour sur votre vie passée... Rappelez-vous des moments heureux de votre vie...

Rappelez-vous quelques événements tristes... Comment voyez-vous maintenant ces événements qui vous ont causé peine et affliction?...

Rappelez-vous des décisions importantes que vous avez prises et qui ont affecté votre vie ou celle des autres. Regrettez-vous ou vous réjouissez-vous de les avoir prises?... Y en a-t-il que, à votre avis, vous auriez dû prendre et que vous n'avez pas prises?...

Passez environ dix minutes à vous rappeler quelques-unes des personnes qui ont occupé une place considérable dans votre vie... Quels sont les visages qui les premiers vous viennent à l'esprit?... Quels sentiments éveille en vous le souvenir de chacune de ces personnes?...

Si l'on vous offrait de revivre votre vie, accepteriez-vous?... Poseriez-vous des conditions, avant d'accepter?...

Si vous n'aviez qu'un conseil à donner à vos amis ou qu'une phrase pour leur dire adieu, que diriez-vous ?...

Après quelques instants, tournez-vous vers le Christ. Imaginez qu'il est à votre chevet et parlez-lui...

Voici un autre exercice qui a trait à votre mort.

Jésus savait quand il allait mourir et il a disposé des dernières heures de sa vie selon un plan minutieux. Il choisit de les passer en compagnie de ses amis réunis pour un dernier repas, puis à prier en présence de son Père, avant d'être arrêté.

Si l'occasion vous était donnée de décider de l'emploi des dernières heures de votre vie, à quoi choisiriez-vous de les passer ? Voudriez-vous vous trouver seul ou avec d'autres ? Dans ce second cas, qui voudriez-vous avoir à vos côtés ?

Lors de sa dernière cène, Jésus a fait une dernière prière à son Père. Quelle est la dernière prière que vous voudriez adresser à Dieu ?

Un des grands profits de ces exercices d'imagination sur la mort, c'est que non seulement ils ravivent notre estime de la vie, mais qu'en plus, ils nous donnent un sens d'urgence. Un écrivain oriental compare la mort à un chasseur, tapi derrière des buissons, qui vise un canard nageant tranquillement sur le lac, tout à fait inconscient du danger qu'il court. Le but de ces exercices d'imagination n'est pas de vous effrayer, mais de vous éviter du gaspillage dans votre vie.

Vingt-septième exercice : Un adieu à votre corps

Imaginez que vous avez fait vos derniers adieux à tout le monde avant de mourir et qu'il ne vous reste plus qu'une heure ou deux à vivre. Vous réservez ce temps à vous-même et à Dieu...

Commencez alors par vous parler à vous-même. Parlez à chacun des membres de votre corps : vos mains, vos pieds, votre cœur, votre cerveau, vos poumons... Dites un dernier adieu à chacun d'eux... Il se peut que vous les remarquiez pour la première fois de votre vie au moment de les quitter !

Aimez chacun de vos membres. Par exemple, votre main droite... Remerciez-la de tous les services qu'elle vous a rendus... Dites-lui combien elle vous est précieuse... combien vous l'aimez... Donnez-lui tout votre amour et toute votre gratitude maintenant que bientôt elle va retourner en poussière... Faites-en autant pour chacun des membres et des organes de votre corps, puis pour votre corps pris comme un tout, avec sa forme particulière, son apparence, sa couleur, sa taille et ses traits.

Imaginez maintenant que vous voyez Jésus près de vous. Écoutez-le remercier chacun des membres de votre corps des services qu'il vous a rendus au cours de votre vie... Voyez-le remplir de son amour et de sa gratitude tout votre corps...

Écoutez-le vous parler, maintenant...

Cet exercice est très précieux pour parvenir à un sain amour de soi-même, à une saine acceptation de soi, sans lesquels il est si difficile de donner pleinement son cœur à Dieu et aux autres.

Vingt-huitième exercice : Vos funérailles

Cet exercice vise à renforcer l'effet bénéfique du précédent, à vous donner plus d'estime et d'amour de vous-même.

> Imaginez que vous voyez votre corps dans son cercueil, exposé dans une église pour la cérémonie des funérailles... Regardez bien attentivement votre corps, et surtout l'expression de votre visage...
>
> Maintenant, regardez toutes les personnes venues à vos funérailles... Passez lentement d'un banc à l'autre, regardez les visages... Arrêtez-vous devant chaque personne et voyez à quoi elle pense, ce qu'elle ressent...
>
> Maintenant, écoutez le sermon. Qui le prêche?... Que dit-il de vous?... Reconnaissez-vous tout le bien qu'il dit de vous?... Sinon, voyez quelles objections vous en empêchent... Quel bien dit de vous consentez-vous à reconnaître? Quelle est votre réaction, quand vous écoutez le prédicateur?...
>
> Revenez aux visages de vos amis venus assister à vos funérailles... Imaginez tout le bien qu'ils diront de vous, quand ils rentreront chez eux après les funérailles...
>
> Quels sont vos sentiments, maintenant?...
>
> Y a-t-il quelque chose que vous aimeriez dire à chacun, avant qu'il rentre à la maison?... Un dernier adieu pour répondre à ce qu'il pense et ressent à votre sujet, et que, hélas, il ne peut entendre maintenant... Dites-le quand même et voyez l'effet que cela vous fait...

Imaginez que les funérailles sont terminées. Vous êtes debout devant votre tombe où repose votre corps, regardant vos amis quitter le cimetière. Quels sont vos sentiments?... Tandis que vous êtes là, faites un retour sur les expériences de votre vie passée... Tout cela en valait-il la peine?...

Et maintenant, prenez conscience de votre existence dans cette pièce-ci et rendez-vous compte que vous êtes encore en vie et qu'il vous reste encore du temps à vivre... Pensez à ces mêmes amis, de votre point de vue actuel. Les voyez-vous différemment, après avoir fait cet exercice? Pensez maintenant à vous-même: vous percevez-vous différemment, pour avoir fait cet exercice?...

Vingt-neuvième exercice: Représentation de la dépouille

J'ai emprunté cet exercice à une série bouddhiste de *méditations sur le réel.* Si, à première vue, il vous répugne, si bien que vous hésitez à l'entreprendre, je vous prie de noter que le but de cette méditation est de vous donner de la paix et de la joie, et de vous aider à vivre votre vie plus en profondeur. Telle a été l'expérience de beaucoup. Ce pourrait être également la vôtre.

Pour faire cet exercice, représentez-vous aussi concrètement que possible votre propre cadavre, et en imagination, voyez-le franchir les neuf étapes de la décomposition. Arrêtez-vous, pendant environ une minute, à chacune d'elles.

Voici quelles sont ces neuf étapes : 1- Le cadavre est froid et rigide. 2- Il bleuit. 3- La peau se fendille. 4- La décomposition envahit certaines parties. 5- Tout le corps est pleinement décomposé. 6- Le squelette apparaît ; avec de la chair en quelques endroits. 7- Puis, il ne reste plus que le squelette, complètement décharné. 8- Il ne reste plus qu'un tas d'os. 9- Les os sont réduits à une poignée de poussière.

Trentième exercice : Évocation du passé

Pour faire cet exercice, vous devez concevoir toute votre journée comme un film. Supposons que vous faites cet exercice le soir : vous déroulez le film de la journée, à l'envers, une scène à la fois, jusqu'à ce que vous reveniez à la première scène du matin, au premier instant de votre réveil.

Quelle est, par exemple, la dernière chose que vous avez faite avant d'entreprendre cet exercice ? Vous avez pénétré dans cette pièce, vous avez pris place et vous avez pris vos dispositions pour la prière. Voilà la première scène que vous contemplerez. Qu'avez-vous fait avant cela? Vous avez marché jusqu'à la pièce. Ce sera là votre deuxième scène. Et avant cela ? Vous avez fait halte pour causer avec un ami en route. Ce sera là votre troisième scène...

Prenez une scène à la fois, un ensemble de gestes, et examinez tout ce que vous faites, pensez, sentez dans cette scène. Ne revivez pas la scène. Contrairement aux autres exercices d'imagination que je vous ai proposés plus haut, vous n'allez pas prendre part à ces événements comme si de nouveau ils avaient lieu, mais simplement les observer de l'extérieur. Regardez-les d'une manière détachée, comme le ferait un observateur neutre.

Commencez par prendre quelques instants pour vous établir dans le calme : cet exercice exige un grand calme intérieur... Faites l'un des exercices de prise de conscience pour apaiser votre esprit et vous introduire au moment présent...

Commencez à dérouler le *film,* en passant à rebours par chacun des événements... Regardez en particulier l'acteur principal, vous-même...

Remarquez comment il agit, ce qu'il pense, ce qu'il ressent...

Il importe beaucoup que pour observer ces événements vous preniez une attitude neutre, c'est-à-dire que vous ne condamniez ni n'approuviez ce que vous observez... Contentez-vous d'observer. Ne jugez pas, n'évaluez pas...

Si, au cours de cet exercice, il vous arrive une distraction, essayez, dès que vous en prenez conscience, d'en retracer la source. En d'autres mots, supposons que vous vous surprenez en train de penser au prochain repas. Demandez-vous comment vous en êtes venu(e) là. Quelle pensée a précédé celle du repas? Et elle-même laquelle l'a précédée? Et laquelle a précédé cette dernière? Jusqu'à ce que vous parveniez au point où, dans votre tâche de dérouler le film, vous avez bifurqué.

> Poursuivez cet exercice jusqu'à ce que vous arriviez au premier instant de la journée, celui de votre réveil...

Il est extrêmement difficile de réussir cet exercice. Il exige un recueillement très intense et une grande maîtrise de l'art de se concentrer. Ne parviennent à pareille concentration que ceux qui sont profondément en paix en eux-mêmes et qui ont réussi à laisser cette paix pénétrer leur esprit et leurs autres facultés. Dès lors, ne vous découragez pas, si vos premiers essais aboutissent à un échec notable. Le seul fait d'essayer de dérouler ce film vous fera grand bien et vous tirerez probablement un bon profit de la seule considération de deux ou trois scènes ou événements. Les maîtres de l'Orient qui proposent cet exercice soutiennent que ceux qui se sont familiarisés avec lui (et dès lors ont obtenu un contrôle suffisant de leur esprit pour y réussir) sont capables de se rappeler avec une parfaite précision non seulement chaque événement de la journée écoulée, mais chaque événement de la semaine précédente, du mois, de l'année et des années jusqu'au moment de leur naissance!

Si vous constatez que l'effort pour retrouver la source des distractions devient lui-même trop distrayant, renoncez-y, et dès que vous vous en rendez compte, revenez à la dernière scène que vous étiez en train de compléter avant la distraction. Essayer de retracer la source des distractions peut faire entreprendre trop de tâches difficiles en même temps.

Le conseil de ne pas approuver ni condamner provient de l'enseignement de quelques maîtres orientaux. On suppose que, pour changer votre vie et votre façon d'agir, il n'est pas nécessaire d'approuver ou de condamner. En ayant recours au pouvoir de la volonté pour prendre des résolutions et à la punition de soi que comporte la condamnation, on court le risque de provoquer de la résistance chez soi et de s'engager sans raison dans un conflit intérieur, l'action suscitant une réaction contraire de même force.

La conscience de soi évite cet écueil : elle suffit à nous amender, sans qu'il faille porter de jugements ni prendre de résolutions. La seule prise de conscience fera mourir tout ce qui est malsain et fera croître tout ce qui est bon et saint. Elle agit comme le soleil qui donne vie aux plantes et détruit les germes nocifs. Vous n'avez pas besoin de vos muscles spirituels ou psychologiques pour en faire autant. Soyons calmes et recueillis et paisibles, et restons éveillés. Il faut être aussi conscient que possible. C'est là, évidemment, une supposition. Mais, une fois qu'on possédera bien la conscience de soi, cela ne sera plus une supposition, mais une affaire d'expérience personnelle.

Et maintenant, vous pouvez faire un pas de plus dans votre exercice.

> Déroulez le film de nouveau et observez chacun des incidents de la journée, un à la fois...
>
> Après avoir parcouru une série d'événements, choisissez parmi ceux-ci celui que vous considérez comme le plus important et examinez-le plus en détail...
>
> Chaque geste, chaque parole, chaque sentiment, chaque pensée, chaque réaction dit quelque chose sur *vous*... Remarquez ce quelque chose...
>
> N'analysez pas. *Regardez* seulement...

Et une dernière étape:

> Reprenez l'exercice précédent, en parcourant plus en détail un des incidents...
>
> Le Christ était dans cet événement. Où était-il? Pouvez-vous l'y voir à l'œuvre? Comment agit-il?...

Trente-et-unième exercice: Prendre conscience de l'avenir

Voici une variante de l'exercice précédent, avec cette différence qu'il s'agit non plus du passé, mais des événements à venir. Cet exercice se fait plus profitablement le matin, alors que le précédent convient davantage le soir.

> À partir du moment présent, passez en revue les événements qui probablement surviendront au cours de la journée qui est devant vous... Vous ne pouvez, évidemment, avoir une pleine certitude, mais choisissez les événements qui ont pas mal de chance de

survenir : une entrevue avec quelqu'un, vos repas, votre temps de prière, les deux voyages qu'implique votre travail...

Observez chacun de ces événements tels que probablement ils auront lieu... Ne cherchez pas à les corriger ou à les améliorer... Regardez seulement. Observez seulement...

L'étape suivante :

Puis repassez de nouveau ces événements et voyez-vous en train de vous comporter (pensées, sentiments, réactions) de la manière dont vous aimeriez vous comporter... Pas de résolutions, s.v.p.! Ne faites que vous VOIR en imagination vous comporter comme vous aimeriez le faire...

Ensuite, voyez ces événements tels que vous aimeriez qu'ils se produisent...

L'étape finale :

Revenez sur chacun de ces événements... Trouvez le Christ agissant dans chacun d'eux...

Revenez au moment présent et terminez cet exercice par une prière adressée au Christ qui vous est actuellement présent...

Autre variante :

Pendant quelques instants, songez que vous êtes une manifestation de Dieu dans le monde. Dieu se sert de votre forme et de votre apparence pour se rendre visible à tous ceux que vous allez rencontrer aujourd'hui...

Puis, repassez ces événements à venir et voyez-y la manifestation de Dieu à l'œuvre...

Pas de condamnations, ni de jugements. Et surtout, pas de résolutions! Contentez-vous de regarder. Voyez, sans plus, les événements qui probablement surviendront. Ou comme vous aimerez qu'ils surviennent...

Trente-deuxième exercice :
Prendre conscience des personnes

Cet exercice n'est qu'une variante des deux exercices précédents. Il se base sur le fait que, comme nous le savons, Jésus Christ, le Seigneur ressuscité, apparaît dans nos vies sous une forme où nous ne le reconnaissons pas d'emblée. C'est ce que les Apôtres ont expérimenté après la Résurrection. Ils commencèrent par voir en lui un étranger (sur le chemin d'Emmaüs, sur les rives du lac de Tibériade, au tombeau où il apparut à Marie Madeleine sous l'apparence du jardinier), et ce n'est que plus tard qu'ils le reconnurent.

Cet exercice vous aidera à reconnaître le Seigneur ressuscité dans le visage de chaque personne que vous allez rencontrer aujourd'hui.

Reprenez l'exercice précédent, en parcourant quelques-uns des événements qui probablement auront lieu aujourd'hui...

Maintenant, arrêtez-vous surtout à chacune des personnes qui peuvent figurer dans votre routine journalière... Songez que chacune d'elles est le Seigneur ressuscité lui-même qui vous apparaît sous une autre forme...

> Reconnaissez le Seigneur en chacune d'elles... Aimez-le, adorez-le, servez-le... vous permettant en imagination des formes d'adoration, de service et d'amour que, dans la réalité, vous n'oseriez pas vous permettre...
>
> À la fin de cet exercice, revenez au moment présent... Prenez conscience de la présence de Jésus dans cette pièce... Adorez-le. Parlez-lui...

Nous terminons avec cet exercice la série de nos exercices d'imagination. L'imagination est un élément très précieux de la vie de prière, tout comme d'une saine vie émotive. Si nous l'utilisons avec discernement, c'est-à-dire pour approfondir notre recueillement de notre silence intérieur plutôt que pour nous procurer un agréable divertissement, notre vie de prière s'en trouvera grandement enrichie, comme vous en aurez fait l'expérience en pratiquant certains de ces exercices.

Sainte Thérèse d'Avila, qui a atteint les hauteurs de l'union mystique à Dieu, préconisait le recours à l'imagination dans la prière. Elle avait l'esprit très distrait et n'arrivait pas à garder le silence intérieur, même pendant quelques minutes. Sa manière de prier, dit-elle, consistait à s'enfermer en elle-même; mais elle ne pouvait pas le faire sans enfermer en même temps avec elle-même mille vanités.

Elle finit par se montrer reconnaissante d'avoir un esprit aussi dispersé, qui l'obligeait à faire passer sa prière du domaine de la pensée à celui de l'affection et de l'imagination. Elle recommande de se servir d'images. Imaginez que vous voyez Jésus en agonie au jardin et que vous le consolez. Imaginez que votre cœur est un beau jardin et que le Christ y circule parmi les fleurs. Imaginez que votre âme est un beau château avec des murs de cristal; où Dieu brille comme un diamant au cœur même de ce château. Imaginez que votre âme est un paradis, un ciel qui vous inondera de délices. Imaginez que vous êtes une éponge, toute imbibée non pas d'eau, mais de la présence de Dieu. Représentez-vous Dieu comme une fontaine au centre même de votre être, ou comme un brillant soleil éclairant chaque partie de votre être, lançant ses rayons du centre de votre cœur.

Chacune de ces images pourrait former par elle-même toute une contemplation imaginative. En plus du recours à l'imagination, Thérèse recommande de se servir du cœur pour prier. Et c'est à cette forme de prière que nous en viendrons dans les chapitres qui suivent.

LA DÉVOTION

Trente-troisième exercice :
La méthode « bénédictine »

Voici une forme de prière qui a été très en usage dans l'Église pendant des siècles. On l'a attribuée à saint Benoît, qui en a répandu et raffiné l'usage. La tradition la divise en trois parties : *lectio* ou lecture sacrée, *meditatio* (la méditation) et *oratio* (la prière).

Voici une façon de pratiquer cette forme de prière :

> Assurez-vous d'abord votre calme en présence de Dieu... Puis prenez un livre pour faire la lecture sacrée, *lectio,* et lisez jusqu'à ce que vous tombiez sur un mot, une proposition ou une phrase qui vous parle, qui vous attire... À ce moment, cessez la *lectio.* La première partie de l'exercice est terminée ; la seconde, la méditation, doit commencer.

Un mot sur le livre que vous choisissez pour faire la lecture. Pratiquement n'importe quel livre fera l'affaire, pourvu qu'il ait des chances de favoriser l'onction et la prière plutôt que la spéculation. À cet égard, le livre idéal est la Bible.

L'imitation de Jésus Christ de A. Kempis est un autre livre qui se prête à cette forme de prière. Il en est de même des écrits des Pères de l'Église, ou de quelque autre livre de dévotion.

Il importe que, pour votre lecture, vous ne choisissiez pas un passage qui ne vous est pas familier, qui vous porterait à toujours lire davantage. Cette lecture a pour but d'éveiller votre cœur à la prière, non pas d'exciter la curiosité de votre esprit. La curiosité peut être ou bien un précieux avantage pour un esprit créateur ou une forme subtile de paresse. Elle devient une forme de paresse quand elle nous détourne de la tâche apparemment peu intéressante que l'on a devant soi.

Supposons que vous avez choisi pour votre *lectio* un passage du Nouveau Testament ou des Psaumes, deux tranches de la Bible qui se prêtent tout particulièrement à ce genre de prière. Je prendrai, comme échantillon, un de mes passages préférés, Jean 7, 37. Vous vous mettez à lire :

> Le dernier jour de la fête qui est aussi le plus solennel, Jésus se tint dans le Temple et il se mit à proclamer à haute voix : « Si quelqu'un a soif, qu'il vienne à moi et que boive celui qui croit en moi. Comme l'a dit l'Écriture : 'De son sein couleront des fleuves d'eau vive.' »

Supposons que vous saisisse, comme il m'est toujours arrivé, la parole suivante : « Si quelqu'un a soif, qu'il vienne à moi et qu'il boive.» Alors, la *lectio* cesse et la *meditatio* commence.

On fait la *meditatio,* non pas avec son esprit, mais avec la bouche. «La *bouche* du juste méditera la sagesse,» nous dit la Bible. Quand le psalmiste nous dit combien il aime méditer sur la loi de Dieu, que son palais la trouve plus douce que le rayon de miel, qu'il médite sans cesse la loi de Dieu, jour et nuit, parle-t-il d'une méditation qui ne serait qu'un exercice intellectuel, qu'une réflexion sur ce qui est déclaré dans la loi de Dieu? Je me plais à penser qu'il parle aussi de la récitation constante de la loi de Dieu, si bien qu'il médite tout autant avec sa bouche qu'avec sa tête. Et c'est ce que vous devez faire avec la phrase de saint Jean.

> Répétez cette phrase plusieurs fois — vous pouvez le faire mentalement: il n'est pas nécessaire que vous prononciez les mots avec votre bouche ou que vous le fassiez à voix haute. L'important, toutefois, c'est que vous continuiez à répéter ces mots (même si vous le faites mentalement) et que vous réduisiez votre réflexion sur leur sens au strict minimum. En réalité, il est préférable que vous n'y réfléchissiez pas du tout. Vous connaissez déjà leur signification. Maintenant, en les répétant, laissez-les pénétrer votre cœur et votre esprit pour que vous les assimiliez... *Si quelqu'un a soif, qu'il vienne à moi et qu'il boive... Si quelqu'un a soif, qu'il vienne à moi et qu'il boive... Si quelqu'un a soif...*

À répéter ces mots, vous allez les goûter et les savourer... Il est probable qu'instinctivement vous en veniez à abréger la phrase, vous arrêtant de préférence à un groupe de mots plutôt qu'à un autre. *Si quelqu'un a soif... quelqu'un... quelqu'un... quelqu'un...*

Après avoir fait cela pendant quelque temps, vous aurez suffisamment savouré les mots. Ils auront rempli votre être, grâce à leur onction. C'est alors le moment de suspendre la méditation et de commencer la prière, *l'oratio.*

Comment fait-on *l'oratio?* En parlant spontanément au Seigneur en la présence de qui on se trouve, ou encore en gardant en sa présence un silence aimant, tellement on est plein de la grâce, de l'onction, de l'attitude que ces mots ont fait naître. Ainsi, vous pourriez procéder à peu près de la façon suivante:

«*Quelqu'un... quelqu'un... quelqu'un...* Seigneur, ai-je bien compris?

Es-tu disposé à donner de l'eau vive à quiconque a soif? Est-il vrai qu'aucune qualification n'est nécessaire, qu'il suffit d'être un homme? Que cela ne fait rien que je sois un pécheur ou un saint, que je t'aime ou pas, que par le passé je t'aie été fidèle ou non? Quil suffit que je sois un être assoiffé — et que je vienne à toi?...

Ou encore vous pourriez dire quelque chose comme ceci: «*A soif... a soif... a soif... vienne à moi... vienne à moi... vienne à moi...* J'ai soif, Seigneur, aussi me voici... Mais je m'amène avec beaucoup de

> défiance... Je suis déjà venu(e) à toi si souvent et tu n'as pas étanché ma soif... Quelle est cette mystérieuse eau vive dont tu parles? Y a-t-il quelque chose en moi qui m'empêche de la voir... de la goûter?...

Faites une prière spontanée de ce genre, ou tout simplement gardez un silence aimant en présence du Seigneur, comme je l'ai suggéré plus haut, aussi longtemps que vous pouvez le faire sans distraction. Lorsque vous constatez qu'il vous est difficile de poursuivre *l'oratio* sans distraction, reprenez votre livre et remettez-vous à la *lectio*... continuez à lire le passage que vous avez choisi jusqu'à ce que vous tombiez sur une autre phrase qui vous parle...

Saint Benoît dit : *Oratio sit brevis et pura. Que la prière soit brève et pure.* Il ne parle pas ici du temps que nous consacrons à la méditation et à la prière en général. Il parle de la troisième partie de cette méthode de prière, *l'oratio,* qui doit être prolongée aussi longtemps qu'elle est *pure,* c'est-à-dire exempte de distractions. Quand surgissent les distractions, le temps est venu de passer à la *lectio.* Cette *oratio* devra souvent être brève, chez des commençants qui ne sont pas habitués à demeurer longtemps sans distractions.

Voilà une excellente forme de prière à recommander à ceux que vous désirez initier à l'art de prier avec le cœur plutôt qu'avec la tête. Elle invite la tête à prendre une certaine part dans la prière et l'empêche ainsi d'être distraite. Mais en même temps, elle éloigne la prière du raisonnement et de la réflexion pour la faire entrer dans la simplicité et l'effectivité.

Vous trouverez dans les Psaumes une véritable mine d'or pour pratiquer cette forme de prière. Comment résister à la force de phrases comme celles-ci, que l'on trouve en abondance à travers tout le livre des Psaumes?

> Mon âme a soif de toi; ma chair languit après toi, comme une terre desséchée, épuisée, sans eau. (Ps. 62)
> Ce après quoi je soupire, c'est d'habiter la maison du Seigneur.
> Ce que je cherche, Seigneur, c'est ton visage. (Ps. 26)
> Mon âme soupire après le Seigneur plus
> que le veilleur ne soupire après l'aurore. (Ps. 120)
> Mon âme trouve son repos en Dieu seul;
> mon salut vient de lui. (Ps. 61)
> Certains mettent leur confiance dans leurs chars et leurs chevaux, mais nous, notre confiance est dans le nom du Seigneur. (Ps. 19)
> Dans ma détresse, j'ai appelé à l'aide.
> Le Seigneur est le rocher où je me réfugie.
> C'est toi, Seigneur, qui illumines mes ténèbres.
> Avec toi je peux franchir toutes les murailles.
> Dieu est le bouclier.
> de tous ceux qui l'ont pour refuge. (Ps. 17)
> Ah, si j'avais des ailes de colombe!
> je m'envolerais pour trouver un abri.
> Confie tes soucis au Seigneur:
> il te réconfortera. (Ps. 54)
> Ne me reprends pas ton esprit saint;
> rends-moi la joie d'être sauvé. (Ps. 50)

Il existe une manière de pratiquer en groupe cette méthode de prier : l'animateur fait faire au groupe un exercice de prise de conscience pour aider chaque membre à approfondir en lui le silence... Ou encore il invite le groupe à approfondir son silence en laissant chaque membre utiliser le moyen qui lui va le mieux... Après quelques minutes de silence, l'animateur chante une phrase de l'Écriture d'une voix forte, claire, puis il rentre dans le silence, laissant les mots pénétrer le cœur des membres. Plus le silence de votre cœur sera profond, plus les mots de l'Écriture auront de l'impact sur vous. Si vous constatez que les mots vous distraient, n'y prêtez pas attention; bornez-vous à faire entrer le son des mots dans le champ de votre conscience.

Une autre variante consiste à faire chanter les mots par le groupe, à la suite de l'animateur du groupe, et en reprenant chaque phrase deux ou trois fois. Prenez soin de ménager de longs moments de silence pour que les mots pénètrent en vous, et pour créer une atmosphère en vue des mots qui seront chantés ensuite.

Trente-quatrième exercice :
La prière vocale

La plupart des gens sont habitués à faire la distinction entre la prière vocale et la prière mentale. On voit communément la prière vocale comme la prière qu'on récite; la prière mentale, comme celle que l'on fait avec son esprit et son cœur. On pense souvent aussi que la prière vocale convient davantage à ceux qui débutent dans la vie spirituelle, à ceux qui mentalement ne sont pas assez développés pour entreprendre une réflexion sérieuse; de là vient que cette forme de prière est sans contredit jugée inférieure à la prière mentale.

Mais l'opinion populaire sur ce point est tout à fait erronée. C'est seulement vers le Moyen âge que, dans l'Église, la prière vocale fut nettement distinguée de la prière mentale. Jusque-là on pouvait difficilement concevoir qu'on puisse prier sans se servir de mots. Si l'on avait dit à des hommes comme saint Augustin, saint Ambroise ou saint Jean Chrysostome ce qu'on dit aujourd'hui à nos aspirants spirituels: «Ne dites pas des prières; priez», ils n'auraient tout simplement pas compris. Ils se seraient demandé comment on pouvait prier sans dire des prières.

Ils connaissaient parfaitement ces moments de prière que vit un contemplatif lorsque, comme le dit sainte Thérèse d'Avila, Dieu nous enlève les mots de la bouche, si bien que même si on le voulait on ne pourrait pas parler, et lorsque le silence total qui envahit l'être rend superflus tous les mots et toutes les pensées. Mais ils étaient d'avis, tout comme la plupart des grands maîtres dans l'art de prier, qu'à prier avec des mots vous avez plus de chance de parvenir à cette prière silencieuse qu'à prier avec des *pensées*.

Un des ces maîtres fut Jean Climaque, qui initiait les gens à l'art de prier en utilisant une méthode si simple que bien peu la connaissent. La voici, en substance.

> Prenez conscience d'être en la présence de Dieu durant votre prière... Puis, prenez une formule de prière et récitez-la en faisant bien attention et aux mots que vous prononcez et à la personne à qui vous les dites.
>
> Supposons que vous choisissez la prière du Seigneur. Mettez-vous à la réciter d'un bout à l'autre avec une parfaite attention: «*Notre Père qui es aux cieux, que ton nom soit sanctifié, que ton règne vienne, que ta volonté soit faite sur la terre comme au ciel...*» en prenant au sérieux chaque mot que vous prononcez.
>
> Si, à un moment ou l'autre, la distraction vous gagne, revenez au mot ou au membre de phrase où elle s'est présentée et répétez-le, plusieurs fois s'il le faut, jusqu'à ce que vous puissiez le dire avec une attention parfaite.
>
> Une fois que vous aurez récité la formule tout entière avec une attention parfaite, reprenez-la à plusieurs reprises. Ou passez à une autre formule de prière.

C'est là toute la méthode que bien des saints ont utilisée pour leur prière. Et ils n'ont compté sur aucune autre pour faire des progrès considérables dans l'art de la prière et de la contemplation. Sainte Thérèse d'Avila nous raconte qu'une sœur converse toute simple la supplia de lui enseigner la *contemplation.* Thérèse, lui ayant demandé comment elle priait, apprit qu'elle se contentait de réciter très dévotement le Notre Père et le Je vous salue Marie cinq fois en honneur des cinq plaies du Sauveur. Et elle découvrit qu'en ayant recours sans plus à ces prières vocales, cette bonne sœur converse était parvenue à une haute contemplation et qu'elle n'avait besoin d'aucune leçon pour devenir une contemplative.

Voici une autre manière de pratiquer la prière vocale. Prenez une formule de prière ou un psaume. Récitez le texte en entier une fois, en remarquant les mots que vous pouvez dire le plus facilement et ceux que vous avez le plus de peine à réciter.

Voici un exemple :

> Le Seigneur est mon berger,
> je ne manque de rien.
> Sur de frais herbages il me fait coucher;
> près des eaux du repos il me mène,
> il me ranime.
> Il me conduit par les bons sentiers,
> pour l'honneur de son nom.
> Même si je marche dans un ravin
>   d'ombre et de mort,
> je ne crains aucun mal, car tu es avec moi :
> ton bâton et ta canne, voilà qui me rassure.

Devant moi tu dresses une table,
face à mes adversaires.
Tu parfumes d'huile ma tête,
ma coupe est enivrante.

Oui, bonheur et fidélité me poursuivent
tous les jours de ma vie,
et je reviendrai à la maison du Seigneur,
pour de longs jours. (Ps. 23)

Choisissez dans ce psaume la ligne qui vous attire le plus, celle qui se présente à vous le plus facilement. Cette ligne que vous préférez, récitez-la à plusieurs reprises... Nourrissez-en votre esprit affamé... Vous pouvez en faire autant avec une ou deux autres lignes qui vous parlent davantage.

Maintenant choisissez la ligne que vous éprouvez le plus de difficulté à dire... Récitez-la plusieurs fois, en remarquant ce que vous sentez... ce qui vous arrive quand vous la récitez... ce qu'elle vous dit sur vous-même et sur vos rapports avec Dieu... Puis faites-en le sujet d'une prière spontanée.

En parcourant les sentiers de la prière, si vous êtes sage, vous verrez à apporter des provisions : un petit répertoire des prières vocales, des hymnes et des psaumes que vous préférez et auxquels vous pourrez avoir recours en cas de besoin.

Certains se plaignent parfois que ces prières sont *impersonnelles*, parce que toutes faites. Ceci est inexact. Il n'y a pas deux personnes qui récitent le Notre Père exactement de la même manière. Quand vous récitez les paroles du Notre

Père, les mots pénètrent votre cœur et votre esprit. Elles vous façonnent, elles prennent la couleur que vous leur donnez, et elles montent vers Dieu avec le cachet distinctif, personnel que vous leur imprimez. Dès lors, ces formules ne sont pas nécessairement impersonnelles.

Trente-cinquième exercice : La Prière de Jésus

L'incessante répétition du nom de Jésus est une forme de prière très chère aux chrétiens grecs et russes orthodoxes ; ils en font le solide fondement de leur vie de prière et de leur vie spirituelle en général. Je vous recommande de lire le livre : *Récits d'un pèlerin russe* ; il vous donnera une idée de la valeur de cette prière et de la manière dont on la pratique.

Chez les hindous de l'Inde, pendant des millénaires, on a énormément cultivé cette forme de prière. On l'appelle le Souvenir du Nom. Le mahatma Gandhi qui préconisait ardemment cette forme de prière déclarait qu'elle était d'un extraordinaire profit pour l'âme, l'esprit et le corps. Il déclarait avoir surmonté toutes ses craintes, même durant son enfance, en répétant simplement et constamment le nom de Dieu. Cette récitation, disait-il, a plus de puissance que la bombe atomique. Il allait même jusqu'à déclarer qu'il ne mourrait pas d'une maladie ; que si cela lui arrivait, on l'accuserait d'être un hypocrite! D'après lui, en récitant avec foi le nom de Dieu, on pouvait guérir de n'importe quelle maladie. Mais pour cela, il faut réciter le Nom avec tout son cœur, toute son âme et tout son esprit, quand on est en prière.

En dehors du temps de la prière, il suffira même de prononcer mécaniquement le Nom. Par cette récitation apparemment mécanique, le Nom pénètre, pour ainsi dire, dans votre sang, atteint toutes les couches de notre inconscient et de notre être — et, d'une manière subtile mais assurée, il transforme notre cœur et notre vie.

Dans l'exercice qui vient et dans quelques-uns de ceux qui le suivront, je propose quelques manières de réciter le Nom au temps de la prière. Je m'arrêterai surtout au Nom de Jésus. Tous les maîtres affirment que n'importe quel nom de Dieu peut procurer les mêmes bienfaits que cette prière. Certains parmi vous voudront peut-être choisir comme leur *mentra* le nom de Dieu que l'Esprit prononce en nos cœurs : *Abba, Père.*

> Commencez votre prière en demandant au Saint Esprit de vous aider. C'est par la puissance de l'Esprit que nous pouvons prononcer le nom de Jésus comme il le faut...
>
> Puis imaginez que Jésus est devant vous. Comment préférez-vous vous le représenter? Comme un enfant, comme le Christ en croix, comme le Seigneur ressuscité?...

Où imaginez-vous qu'il se trouve? Debout devant vous? Certains trouvent que cela les aide beaucoup, d'imaginer le Seigneur enchâssé dans leur cœur... ou dans leur tête. Certains maîtres hindous recommandent le centre du front, entre les deux yeux... Représentez-vous-le là où vous trouvez le plus de dévotion...

Prononcez le nom de Jésus chaque fois que vous aspirez ou que vous expirez... Ou bien vous pourriez prononcer la première syllabe en aspirant et la seconde en expirant. Si cela paraît trop fréquent, prononcez le Nom à toutes les trois ou quatre respirations. Il importe que vous le fassiez en douceur, d'une manière détendue, paisible...

Si d'autres personnes sont avec vous, vous devrez prononcer le Nom mentalement. Si vous êtes seul(e) vous pouvez le prononcer vocalement, à voix basse...

Si, après quelque temps, vous vous lassez de prononcer le Nom, reposez-vous un peu, puis reprenez votre récitation, un peu comme le fait un oiseau: il bat des ailes pendant quelques temps, puis plane pendant quelque temps, et de nouveau bat des ailes...

Remarquez ce que vous éprouvez en prononçant son Nom...

Après quelque temps, prononcez son Nom avec des sentiments et des attitudes différents. Prononcez-le au début avec du désir. Sans dire les mots «Seigneur, je te désire», exprimez-lui ce sentiment par votre manière de réciter son Nom...

Après quelque temps, faites de même en prenant une autre attitude: la confiance. Par votre manière

> de réciter son Nom, dites-lui : « Seigneur, j'ai confiance en toi ». Après quelque temps, passez à d'autres sentiments : l'adoration, l'amour, le repentir, la louange, la gratitude, l'abandon...
>
> Maintenant imaginez-vous l'entendre prononcer votre nom... comme il a prononcé celui de Marie Madeleine, au matin de la Résurrection... Jamais personne ne prononcera votre nom tout comme Jésus le prononce... Avec quels sentiments prononce-t-il votre nom ? Qu'est-ce que cela vous fait de l'entendre prononcer votre nom ?

Chez les Orthodoxes, on a coutume de prononcer le nom de Jésus à l'intérieur de la *Prière de Jésus*. La formule est : « Seigneur Jésus-Christ, aie pitié de moi ». Voici une façon d'utiliser cette formule.

> Après avoir pris le temps de faire le calme en vous, prenez conscience de la présence du Christ ressuscité... Représentez-vous-le debout devant vous...
>
> Centrez votre attention sur votre respiration pendant quelque temps, prenant conscience de l'air qui pénètre en vous et qui en sort...
>
> Pendant que vous aspirez, dites la première partie de la formule, *Seigneur Jésus Christ*, tout en imaginant que vous aspirez l'amour, la grâce et la présence du Seigneur Jésus... Imaginez que vous aspirez en vous toute l'amabilité de son être.
>
> Puis, pendant un bref intervalle, retenez l'air dans vos poumons, tout en imaginant que vous retenez en vous-même en même temps sa présence et sa grâce qui vous pénètrent entièrement.

> En même temps que vous expirez, dites la seconde partie de la formule, *Aie pitié de moi...* Et ce faisant, imaginez que vous chassez de vous toutes vos impuretés, tout ce qui en vous fait obstacle à sa grâce...

Les mots *Aie pitié de moi* ne signifient pas seulement *Pardonne-moi mes péchés.* La pitié, au sens où les Orthodoxes emploient ce mot, signifie bien davantage: la grâce et la bonté aimante. Quand donc vous demandez au Christ d'avoir pitié de vous, vous implorez sa bienveillance, sa bonté aimante, et vous demandez l'onction de son Esprit.

Trente-sixième exercice: Les mille noms de Dieu

Cet exercice est une adaptation de la pratique hindoue de réciter les mille noms de Dieu. Les hindous dévots peuvent se donner la peine d'apprendre de mémoire les mille noms de Dieu en sanscrit, dont chacun est riche de sens et révèle quelque aspect de la divinité, et de les réciter avec amour à l'heure de la prière.

Je propose que vous inventiez maintenant mille noms de Jésus. Imitez le psalmiste qui ne se contente pas des noms courants de Dieu, tels que Seigneur, Sauveur, Roi, mais s'ingénie avec un cœur débordant d'amour à lui trouver des noms tout nouveaux. Il dira, par exemple: *Tu es mon rocher, mon bouclier, ma forteresse, mes délices, mon chant...*

De même, dans cet exercice, donnez libre cours à votre créativité et inventez des noms pour Jésus : *Jésus, ma joie... Jésus, ma force... Jésus, mon amour... Jésus, mes délices... Jésus, ma paix...*

> Chaque fois que vous expirez, prononcez un de ces noms de Jésus... Si l'un de ces noms vous parle davantage, répétez-le plusieurs fois... Ou bien prononcez-le et arrêtez-vous-y avec amour pendant quelque temps, sans rien dire... puis prenez un autre nom... arrêtez-vous-y... puis passez à un autre...
>
> Puis, vous en venez à une partie de l'exercice que peut-être vous trouverez très émouvante :
>
> Imaginez que vous entendez Jésus inventer des noms pour vous ! Quels noms invente-t-il pour vous ?... Qu'est-ce que vous ressentez, en l'entendant vous appeler par ces noms ?...

Souvent les gens refusent d'écouter les mots de tendresse que Dieu leur adresse. Ils s'en sentent incapables. C'est trop beau pour être vrai. Et alors ils écoutent Jésus leur dire des mots négatifs, tels que *Pécheur...* etc. Ou bien ils se sentent la tête vide et n'entendent rien. Ils ont encore à découvrir le Dieu du Nouveau Testament qui les aime d'un amour inconditionnel et infini. À se permettre d'éprouver son amour. Pour y arriver, l'exercice suivant est tout indiqué.

> Allez plus loin, maintenant, et imaginez que vous entendez Jésus inventer pour vous les mêmes noms que vous avez trouvés pour lui — tous les noms, sauf ceux qui expriment directement la divinité... Ne vous effrayez pas... ouvrez-vous à son amour intense !

Il se peut, comme il arrive à plusieurs, que vous hésitiez à imaginer que vous entendez le Christ vous dire des choses. Dans certains exercices d'imagination, j'ai recommandé que vous parliez au Christ et que vous imaginiez qu'il vous parle. Vous me demanderez peut-être : « Comment saurai-je si le Christ me dit vraiment ces choses ou si c'est moi qui les invente tout simplement ? Est-ce le Christ qui me parle ou suis-je en train de me parler à moi-même par cette image du Christ que j'ai fabriquée ? »

La réponse, c'est que tout probablement c'est vous qui vous parlez à vous-même, en vous servant de cette image du Christ que votre imagination a créée. Toutefois, sous la surface de ce dialogue que vous poursuivez avec ce Christ imaginaire, le Seigneur commencera son œuvre en votre cœur. Bientôt vous constaterez que ce Christ imaginaire vous dit quelque chose, que ses paroles ont un tel effet sur vous (sous forme de consolation, de lumière et d'inspiration, d'une nouvelle infusion de joie et de force) que vous saurez en votre cœur que ces mots ou bien sont venus directement du Seigneur, ou que vous les avez inventés vous-même et que le Seigneur s'en est servi pour vous communiquer les dons qu'il avait préparés.

Cependant, pour faire cet exercice, vous n'avez pas à vous préoccuper de cette objection (savoir, si les mots que vous entendez viennent de la bouche du Christ ou sont votre pure invention). L'amour que Jésus vous porte est si grand que les mots que vous inventez et mettez sur ses lèvres pour l'exprimer ne parviendront jamais à sa mesure!

Trente-septième exercice :
Voir le Christ vous regardant

Voici un autre exercice qui vous permettra de faire l'expérience de l'amour du Christ pour vous, et pour lequel sainte Thérèse d'Avila avait une prédilection. C'était un des exercices fondamentaux qu'elle recommandait à tout le monde.

> Représentez-vous le Christ debout devant vous... Il vous regarde... Remarquez qu'il vous regarde...

Et c'est tout! Thérèse avait une brève formule pour décrire cet exercice: « Mira que te mira, » Vois qu'il te regarde.

Et elle ajoute cependant deux adverbes très importants: *Vois qu'il te regarde tendrement et humblement.* Prenez bien soin de percevoir ces deux attitudes chez le Christ qui vous regarde:

voyez-le vous regarder avec tendresse; voyez-le vous regarder avec humilité.

Chacune de ces deux attitudes a coutume de susciter des difficultés. Plusieurs ont bien du mal à imaginer que Jésus les regarde avec tendresse: ils se représentent Jésus comme quelqu'un de dur et d'exigeant, comme quelqu'un qui, même s'il les aime, ne les aime que s'ils sont bons. Et ils ont encore plus de mal à accepter la seconde attitude: que Jésus les regarde humblement... impossible! Là encore, ils n'ont pas compris qui est Jésus du Nouveau Testament. Ils n'ont jamais pris au sérieux le fait que Jésus s'est fait leur serviteur et esclave, celui qui leur lave les pieds, celui qui, par amour pour eux, a consenti à mourir comme un esclave.

Alors, regardez-le qui vous regarde. Et remarquez l'amour dans son regard. Remarquez l'humilité. Une des compagnes de sainte Thérèse, qui pratiquait fidèlement cette manière de prier, pendant des heures d'affilée, disait que sa prière était toujours aride. Interrogée sur ce qu'elle faisait durant sa prière, elle répondit: «*Je me laisse aimer, sans plus!*»

Trente-huitième exercice: Le Cœur du Christ

Encore un exercice pour vous ouvrir à l'amour que le Christ vous porte. Je l'ai appris d'un pasteur évangélique qui semblait avoir le don de communiquer l'expérience de Jésus Christ, le Seigneur ressuscité, à ceux qui demandaient à rencontrer le Christ. Pour autant que je me rappelle les mots du pasteur, sa méthode ressemblait à ce qui suit :

Supposons que quelqu'un s'amène et lui dise : « Je veux entrer en contact avec le Seigneur ressuscité. » Le pasteur le conduit vers un coin tranquille. Ils ferment les yeux et se mettent en prière la tête baissée.

Puis, le pasteur dit à peu près ceci : « Écoutez bien ce que je vais dire : Jésus Christ, le Seigneur ressuscité, est ici et maintenant avec nous. Croyez-vous cela ? » Après une pause, l'homme dit : « Oui, je le crois. »

« Et maintenant, je vais vous demander de considérer quelque chose qui est encore plus difficile à croire. Jésus Christ, le Seigneur ressuscité ici présent, vous aime et vous accepte tel que vous êtes... Vous n'avez pas à changer pour obtenir son amour, à devenir meilleur, à sortir de vos mauvais chemins... Il est clair qu'il veut que vous deveniez meilleur, que vous renonciez à vos péchés. Mais vous n'avez pas à le faire pour qu'il vous aime et vous accepte. Déjà il vous aime et vous accepte tel que vous êtes, avant même que vous décidiez de changer, et quelle que soit votre décision... Croyez-vous cela ?... Prenez le temps d'y penser... Puis voyez si vous croyez cela ou non.»

Après avoir quelque peu réfléchi cet homme dit: «Oui, je crois cela aussi.» «Eh bien, alors, dit le pasteur, dites quelque chose à Jésus, à haute voix.»

Cet homme se met à prier le Seigneur à haute voix... et bientôt il saisit la main du pasteur et lui dit: «Je comprends parfaitement ce que vous entendez par faire l'expérience de Dieu. Il est ici! Je sens sa présence!»

Pure imagination? Un charisme que possédait notre bon pasteur? Peut-être. Que sa méthode pour mettre quelqu'un en contact avec le Seigneur ressuscité soit appropriée ou non, il reste qu'elle est solidement fondée et qu'elle contribue sûrement à faire découvrir les trésors infinis de l'amour du Christ. Faites-en vous-même l'essai comme suit:

> Rappelez-vous que vous êtes en la présence du Seigneur ressuscité... Dites-lui que vous le croyez présent à vous ici...
>
> Réfléchissez au fait qu'il vous aime et vous accepte tel que vous êtes en ce moment...
>
> Prenez le temps de sentir l'amour inconditionnel qu'il a pour vous, cependant qu'il vous regarde *tendrement et humblement.*
>
> Parlez au Christ... ou simplement gardez un silence affectueux et communiquez avec lui par-delà les paroles.

La dévotion au Cœur du Christ, qui était si répandue il y a quelques années et qui est tellement en baisse aujourd'hui, redeviendrait florissante, si on comprenait qu'elle consiste essentiellement à accueillir Jésus Christ comme l'amour incarné, comme la manifestation de l'amour inconditionnel que Dieu nous porte. Quiconque accueille ainsi le Christ peut s'attendre à recueillir des fruits qui dépassent tout ce qu'il en attendait, dans sa vie de prière et dans son apostolat. Vous atteignez le tournant décisif dans votre vie, non pas lorsque vous réalisez que vous aimez Dieu, mais lorsque vous réalisez et acceptez pleinement que Dieu vous aime d'un amour inconditionnel.

Les retraitants ont coutume de se poser ces trois questions que les Exercices Spirituels de saint Ignace ont rendues fameuses : « Qu'ai-je fait pour le Christ ? Qu'est-ce que je fais pour le Christ ? Que dois-je faire pour le Christ ? » La réponse à la troisième question prend d'ordinaire la forme de toutes sortes de gestes et de sacrifices généreux que le retraitant désire faire pour exprimer son amour pour le Christ. Voici ce que je suggère aux retraitants : Vous ne sauriez faire davantage plaisir au Christ qu'en croyant à son amour, son amour inconditionnel pour vous. Vous aurez probablement plus de peine à le faire qu'à projeter d'accomplir certains grands sacrifices; mais en même temps, vous ne sauriez rien *faire* pour le Christ qui vous procure une joie spirituelle aussi grande et vous fasse progresser davantage dans les voies spirituelles. Après tout, que pouvez-vous attendre davantage de la part d'une personne que vous aimez profondément, sinon qu'elle croie en votre amour et l'accepte pleinement?

Trente-neuvième exercice:
Le Nom comme présence

La pratique de la Prière de Jésus a parfois conduit à donner au nom de Jésus une valeur quasi superstitieuse, voire à adorer ce Nom. Le nom de Jésus n'est qu'un moyen pour nous conduire à Jésus lui-même, et prononcer son nom avec amour reste sans valeur, si cela ne nous amène pas en sa présence.

> Après avoir fait le calme en vous-même, prononcez le nom de Jésus lentement... Sentez croître la présence de Jésus à vous...
>
> De quelle manière sentez-vous sa présence?... Comme une lumière...? Comme une dévotion et une onction...? Comme des ténèbres et de l'aridité...?
>
> Quand la Présence devient vive, reposez-vous en elle... Quand la Présence tend à s'effacer, remettez-vous à prononcer son nom...

Quarantième exercice :
La prière d'intercession

Nous savons très peu de chose sur la manière dont Jésus priait. C'est là un secret que garderont toujours jalousement les sommets de montagnes et les lieux déserts où il se retirait, quand il voulait consacrer du temps à la prière.

Nous savons que les psaumes lui étaient familiers, qu'il les récitait sans doute comme tout Juif dévot. Nous savons également qu'il avait coutume d'intercéder pour ceux qu'il aimait. « Simon, Simon, Satan vous a réclamés pour vous secouer dans un crible comme on fait pour le blé. Mais moi, j'ai prié pour toi, afin que ta foi ne disparaisse pas. » (Lc 22, 31). Voilà qui nous indique en peu de mots qu'à l'heure de la prière, Jésus pratiquait la prière d'intercession.

Nous trouvons une autre indication dans l'évangile de saint Jean : « Je prie pour eux ; je ne prie pas pour le monde, mais pour ceux que tu m'as donnés... Père saint, garde-les en ton nom que tu m'as donné, pour qu'ils soient un comme nous sommes un... Je ne prie pas seulement pour eux, je prie aussi pour ceux qui, grâce à leur parole, croient en moi : que tous soient un comme toi, Père, tu es en moi et que je suis en toi, qu'ils soient en nous eux aussi, afin que le monde croie que tu m'as envoyé. » (Jn 17, 9 ss). Encore une prière d'intercession !

L'Écriture nous dit également que c'est là le rôle actuel de Jésus Christ. Sa mission de Rédempteur est accomplie, il a assumé celle d'Intercesseur : « (Jésus), puisqu'il demeure pour l'éternité, possède un sacerdoce exclusif. Et c'est pourquoi il est en mesure de sauver d'une manière définitive ceux qui, par lui, s'approchent de Dieu, puisqu'il est toujours vivant pour intercéder en leur faveur. » (Héb 7, 24-25). « Qui accusera les élus de Dieu ? Dieu justifie ! Qui condamnera ? Jésus Christ est mort ; bien plus, il est ressuscité, lui qui est à la droite de Dieu et qui intercède pour nous ! » (Rm 8, 33-34).

Voilà la forme de prière, avec celle de demande dont je vais traiter un peu plus loin, que Jésus recommandait à ses disciples : « La moisson est abondante, mais les ouvriers peu nombreux ; priez donc le maître de la moisson d'envoyer des ouvriers dans sa moisson » (Mt 9, 37-38). Il me vient à l'esprit toutes sortes d'objections : Pourquoi demander à Dieu quelque chose dont il sait que nous avons besoin ? En outre, il s'agit de sa moisson : ne sait-il pas qu'elle a besoin d'ouvriers ?

Jésus semble écarter toutes ces objections et annoncer une loi mystérieuse du monde de la prière, à savoir, que Dieu a lui-même décrété qu'il a en quelque sorte remis son pouvoir entre les mains de personnes qui intercèdent, si bien que sans leur intercession son pouvoir est retenu.

C'est là le grand attrait de la prière d'intercession : en la pratiquant, vous touchez du doigt l'énorme pouvoir qu'a la prière. Pour autant, vous ne délaisserez jamais la prière. C'est seulement à la fin du monde que nous comprendrons que le destin des personnes et des nations a été façonné pas tellement par les actions extérieures d'hommes puissants ou par des événements apparemment inévitables, mais par la prière paisible, silencieuse et irrésistible de personnes que le monde ne connaîtra jamais.

Le Père Teilhard de Chardin, dans son ouvrage : LE MILIEU DIVIN, dit, au sujet d'une religieuse en prière dans une chapelle, en un lieu désert, que pendant qu'elle prie, toutes les forces de l'univers semblent se réorganiser pour répondre aux désirs de cette menue silhouette en prière et l'on dirait que l'axe du monde passe par cette chapelle du désert ! Et saint Jacques dit : « La requête d'un juste agit avec beaucoup de force. Élie était un homme semblable à nous ; il pria avec ferveur pour qu'il ne plût pas et il ne plut pas sur la terre pendant trois ans et six mois ; puis il pria de nouveau, le ciel donna de la pluie, la terre produisit son fruit... » (Jc 5, 16-18).

Il suffit de feuilleter les lettres de saint Paul pour constater que dans son apostolat il a fait grand usage de la prière d'intercession. Il n'était pas tellement un orateur, comme il l'avoue lui-même aux Corinthiens. Mais il était puissant dans les miracles, et puissant dans la prière. Voici un échantillon de sa manière d'intercéder pour son peuple : « C'est pourquoi je fléchis les genoux devant le Père, de qui toute famille tient son nom, au ciel et sur la terre ; qu'il daigne, selon la richesse de sa gloire, vous armer de puissance, par son Esprit, pour que se fortifie en vous l'homme intérieur, qu'il fasse habiter le Christ en vos cœurs par la foi ; enracinés et fondés dans l'amour, vous aurez ainsi la force de comprendre, avec tous les saints, ce qu'est la largeur, la longueur, la hauteur, la profondeur... et de connaître l'amour du Christ qui surpasse toute connaissance, afin que vous soyez comblés jusqu'à recevoir toute la plénitude de Dieu. À celui qui peut, par sa puissance qui agit en nous, faire au-delà, infiniment au-delà de ce que nous demandons et concevons, à lui la gloire dans l'Église et en Jésus Christ, pour toutes les générations, au siècle des siècles. Amen. » (Éph 3, 14-21).

« Je rends grâce à mon Dieu chaque fois que j'évoque votre souvenir : toujours, en chaque prière pour vous tous, c'est avec joie que je prie... Et voici ma prière : que votre amour abonde encore, et de plus en plus, en clairvoyance et en vraie sensibilité pour discerner ce qui convient le mieux» (Phil 1, 3.4.9-10).

Dans presque toutes ses lettres il assure ses chrétiens qu'il ne cesse de prier pour eux, ou bien il leur demande de prier pour lui: «Que l'Esprit suscite votre prière sous toutes ses formes; employez vos veilles à une infatigable intercession pour tous les saints, pour moi aussi: que la parole soit placée dans ma bouche pour annoncer hardiment le mystère de l'Évangile dont je suis l'ambassadeur enchaîné. Puissé-je, comme j'y suis tenu, le dire en toute hardiesse.» (Éph 6, 18-20).

Vous pourriez être un de ceux que le Seigneur a appelés, d'une façon toute spéciale, à exercer le ministère de l'intercession et à transformer le monde et le cœur des hommes par la puissance de leurs prières. «Rien sur la terre n'égale la puissance de la pureté et de la prière», dit le Père Teilhard. Si vous avez reçu de Dieu cet appel, votre prière sera le plus souvent une prière d'intercession. Et même si vous n'aviez pas reçu l'appel à exercer de façon spéciale le ministère de l'intercession, vous sentirez en de nombreuses et diverses circonstances, que le Seigneur vous pousse à l'intercession. Il existe bien des façons de pratiquer cette forme de prière. En voici une.

Pendant quelques instants, prenez conscience de la présence de Jésus et entrez en contact avec lui...

Imaginez que la vie, la lumière et la puissance de Jésus vous inondent... que cette lumière qui vient de lui illumine votre être tout entier...

Puis évoquez en imagination, une après l'autre, les personnes pour qui vous voulez prier. Posez vos mains sur chacune, lui communiquant toute la vie et la puissance que vous venez de recevoir du Christ... Prenez le temps de demander en silence que l'amour du Christ descende sur chacune... Voyez-la s'illuminer et se transformer grâce à la vie et à l'amour du Christ...

Puis passez à la suivante... et à la suivante...

Il importe au plus haut point qu'au début de votre prière d'intercession vous songiez à Jésus et que vous entriez en contact avec lui. Autrement, votre intercession risque de ne pas devenir une prière, mais un simple exercice où vous vous rappelez des personnes. Vous vous exposez à centrer votre attention sur elles et non pas sur Dieu.

Après avoir prié pour certaines personnes de la manière suggérée dans cet exercice, vous trouverez profit à vous arrêter de nouveau en la présence du Christ, pour puiser à sa puissance et à son Esprit, pour continuer ensuite votre intercession, en posant les mains sur d'autres personnes.

Après avoir prié de cette manière pour chacune des personnes qui vous sont chères, priez pour toutes celles qui sont confiées à vos soins : les pasteurs, priez pour votre troupeau... les parents, pour vos enfants... les professeurs, pour vos élèves...
Puis, après une autre pause en vue d'accueillir l'amour et la puissance du Christ, mettez-vous à prier pour vos «ennemis», car Jésus nous a commandé de prier pour eux. Posez vos mains, en signe de bénédiction, sur chacune des personnes que vous détestez... ou qui vous détestent... sur celles qui vous ont fait quelque peine... Sentez la puissance du Christ qui, à travers vos mains, rejoint leurs cœurs...
Puis, priez pour des nations entières... pour l'Église... Les trésors du Christ sont infinis; ne craignez pas de les épuiser en les prodiguant à des nations et à des peuples...
Faites le vide dans votre esprit pendant quelques instants, et laissez l'Esprit vous suggérer des personnes et des causes pour lesquelles prier... Dès qu'une personne vous vient à l'esprit, posez les mains sur elle, au nom du Christ...

J'ai observé, comme directeur de retraite, que certaines personnes, lorsqu'elles atteignent une union profonde à Dieu, se sentent poussées par lui à intercéder pour les autres. Au début, elles se demandent s'il ne s'agirait pas d'une distraction, mais elles découvrent ensuite qu'elles sont parvenues à cette union précisément afin de pouvoir intercéder pour leurs semblables et que cette intercession, loin de les distraire, approfondit leur union à Dieu!

Si le Seigneur vous appelle au ministère de l'intercession, vous découvrirez aussi, à pratiquer fréquemment la prière d'intercession, que plus vous prodiguez les trésors du Christ aux autres, plus il en inonde votre cœur et votre vie. En priant pour les autres, vous vous acquérez vous-mêmes des richesses.

Quarante-et-unième exercice :
La prière de demande

La prière de demande fut presque l'unique forme de prière que Jésus enseigna à ses disciples, lorsqu'ils lui demandèrent de leur enseigner à prier. On ne saurait guère prétendre avoir appris du Christ lui-même à prier, si l'on ignore la prière de demande.

Nous lisons dans l'évangile de Luc : « Jésus était un jour quelque part en prière. Quand il eut fini, un de ses disciples lui dit : « Seigneur, apprends-nous à prier, comme Jean l'a appris à ses disciples. » Il leur dit : « Quand vous priez, dites : Père, fais-toi reconnaître comme Dieu. Fais venir ton Règne. Donne-nous le pain dont nous avons besoin chaque jour, pardonne-nous nos péchés, car nous-mêmes nous pardonnons à tous ceux qui ont des torts envers nous. Et ne nous expose pas à la tentation. » (Lc 11, 1-4).

Chaque membre de la prière du Seigneur est une demande ! Écoutez maintenant le commentaire que le Seigneur lui-même a fait de cette prière. Il fera partie du présent exercice.

> Et Jésus dit à ses disciples: «Si l'un de nous a un ami et qu'il aille le trouver au milieu de la nuit pour lui dire: «Mon ami, prête-moi trois pains, parce qu'un de mes amis m'est arrivé de voyage et je n'ai rien à lui offrir, et si l'autre, de l'intérieur, lui répond: 'Ne m'ennuie pas! Maintenant la porte est fermée; mes enfants et moi, nous sommes couchés; je ne puis me lever pour te donner du pain', je vous le déclare: même s'il ne se lève pas pour lui en donner parce qu'il est son ami, eh bien, parce que l'autre est sans vergogne, il se lèvera pour lui donner tout ce qu'il lui faut.
>
> Eh bien, moi, je vous dis: Demandez, on vous donnera; cherchez, vous trouverez; frappez, on vous ouvrira. En effet, quiconque demande reçoit, qui cherche trouve, et à qui frappe on ouvrira. Quel père parmi vous, si son fils lui demande un poisson, lui donnera un serpent au lieu de poisson? Ou encore s'il lui demande un œuf, lui donnera-t-il un scorpion? Si donc vous, qui êtes mauvais, savez donner de bonnes choses à vos enfants, combien plus le Père céleste donnera-t-il l'Esprit Saint à ceux qui le lui demandent.» (Lc 11, 5-13).

Ces paroles de Jésus sont d'une simplicité renversante: «Demandez, on vous donnera... En effet *quiconque* demande reçoit...»

Imaginez que c'est à vous que Jésus adresse ces paroles. Demandez-vous: «Est-ce que vraiment je crois en ces paroles? Quel sens ont-elles pour moi ? » Puis, faites part à Jésus de vos réponses à ces questions.

Vous pouvez en faire autant avec Lc 18, 1-6. Ou bien, prenez les passages suivants.

> Comme il revenait à la ville de bon matin, Jésus eut faim. Voyant un figuier près du chemin, il s'en approcha, mais il n'y trouva rien que des feuilles. Il lui dit : « Jamais plus tu ne porteras de fruit ! » À l'instant même, le figuier sécha. Voyant cela, les disciples furent saisis d'étonnement et dirent : « Comment, à l'instant même, le figuier a-t-il séché ? » Jésus leur répondit : « En vérité, je vous le déclare, si un jour vous avez la foi et ne doutez pas, non seulement vous ferez ce que je viens de faire du figuier, mais même si vous dites à cette montagne : 'Ôte-toi de là et jette-toi dans la mer', cela se fera. Tout ce que vous demanderez dans la prière avec foi, vous le recevrez. » (Mt 21, 18-22).

> En passant le matin, ils virent le figuier desséché jusqu'aux racines. Pierre, se rappelant, lui dit : « Rabbi, regarde, le figuier que tu as maudit est tout sec. » Jésus leur répond : « Ayez foi en Dieu. En vérité, je vous le déclare, si quelqu'un dit à cette montagne : 'Ôte-toi de là et jette-toi dans la mer', et s'il ne doute pas en son cœur mais croit que ce qu'il dit arrivera, cela lui sera accordé. C'est pourquoi je vous déclare : Tout ce que vous demandez en priant, croyez que vous l'avez reçu et cela vous sera accordé. Et quand vous êtes debout en prière, si vous avez quelque chose contre quelqu'un, pardonnez, pour que votre Père qui est aux cieux vous pardonne aussi vos fautes. » (Mc 11, 20-26).

Après avoir sondé l'un ou l'autre de ces passages et en avoir parlé à Jésus, faites le calme en vous en vue d'une demande...

Pardonnez à chaque personne contre laquelle vous avez quelque grief... Imaginez que vous leur dites: « Je vous pardonne de tout mon cœur au nom de Jésus Christ, comme lui-même m'a pardonné... »

Maintenant, demandez au Seigneur de remplir votre cœur de la foi qui rend toute-puissante la prière de demande... « Seigneur, je crois, mais viens en aide à mon manque de foi... »

Maintenant demandez le bienfait que vous attendez du Seigneur: la santé, le succès dans quelque entreprise...

Représentez-vous le Seigneur vous accordant ce bienfait et vous-même le louant avec joie en retour... ou vous le refusant, mais en même temps inondant votre cœur de sa paix et vous-même le louant avec joie à cause de cela...

Quarante-deuxième exercice: Jésus le Sauveur

Voici une autre manière de pratiquer la Prière de Jésus. À prononcer le nom de Jésus, non seulement on se le rend présent, mais on se procure son salut. Jésus est essentiellement Sauveur, c'est là la signification de son nom. (Mt 1, 21). « Il n'y a aucun salut ailleurs qu'en lui; car il n'y a sous le ciel aucun autre nom offert aux hommes qui soit nécessaire à notre salut. » (Actes 4, 12).

Prononcer avec amour le nom de Jésus nous le rend présent. Et lui présent nous apporte le salut. Quelle sorte de salut? Le salut qu'il y a deux mille ans il a apporté en Palestine: guérir toutes les maladies, physiques, émotives et spirituelles; et, partant, donner la paix avec nos semblables, avec Dieu et avec nous-mêmes.

J'ai déjà signalé que la prononciation dévote du nom de Dieu avait la vertu de guérir. Le Mahatma Gandhi disait de sa forme de prière qu'elle était «le remède du pauvre». Si nous récitons avec foi le nom de Jésus sur chacune de nos blessures et de nos maladies, il nous en guérit.

Prononcer le nom de Jésus nous vaut également d'être pardonnés de nos fautes. On raconte aux Indes qu'un roi, après avoir tué ses frères, pris de repentir, est allé trouver un saint ermite en quête de pénitence et de pardon. Quand le roi est arrivé, l'ermite n'était pas là. Alors, un de ses disciples se chargea de donner au roi sa pénitence. Il lui dit: «Dites le nom de Dieu trois fois et toutes vos fautes vous seront pardonnées.» À son retour, l'ermite s'indigna, quand il apprit ce que son disciple avait fait. Il lui dit: «Ne sais-tu pas qu'il suffit de prononcer avec amour une seule fois le nom de Dieu pour effacer les péchés d'un royaume tout entier? Comment as-tu osé dire au roi de répéter trois fois le nom de Dieu? Manques-tu à ce point de foi en la puissance du nom de Dieu?»

Récitez le nom de Jésus lentement et avec tendresse, vous arrêtant de temps à autre... avec le désir d'être comblé de la présence de Jésus...

Maintenant «oignez»» chacun de vos sens et chacune de vos facultés avec le nom de Jésus. L'Écriture dit: «Ton nom est comme un onguent parfumé.» (Cantique des Cantiques 1, 3). Alors, oignez de son nom vos yeux, vos pieds, votre cœur... votre mémoire, votre entendement, votre volonté, votre imagination... Et ce faisant, voyez chaque sens, chaque membre, chaque faculté s'allumer par la présence et la puissance de Jésus, jusqu'à ce que tout votre corps et tout votre être s'illuminent et s'embrasent de sa présence.

Maintenant, mettez-vous à en oindre d'autres avec ce Nom... Dites-le avec foi et amour sur chacun d'eux: les malades et les souffrants, vos amis, les personnes inquiètes et celles qui s'adonnent au ministère de guérir (médecins, infirmières, conseillers, pasteurs), les êtres qui vous sont chers... Voyez chacune de ces personnes fortifiée et pleinement vivifiée par la puissance de ce Nom...

Chaque fois que la fatigue vous gagne, revenez à la présence de Jésus et demeurez-y quelques instants...

Quarante-troisième exercice: Des phrases de l'Évangile

En vue de cet exercice, vous devrez vous dresser une liste de commandements et de questions de Jésus que rapportent les évangiles: «Viens, suis-moi... Venez et voyez... Paix mes agneaux...

Jetez le filet en eau profonde... Je ferai de vous des pêcheurs d'hommes... Veillez et priez...»; «Qui dites-vous que je suis?... M'aimes-tu?... Crois-tu que je peux le faire?... Que veux-tu que je fasse pour toi?... Veux-tu être guéri?...»

Choisissez une de ces questions ou invitations et commencez l'exercice:

> Imaginez que vous voyez devant vous le Seigneur ressuscité... puis, que vous l'entendez prononcer pour vous une de ces questions ou invitations: «Viens et vois... M'aimes-tu?...»
>
> Ne répondez pas immédiatement à son appel ou à sa question... Imaginez qu'il reprend ses paroles plusieurs fois... Laissez ces paroles résonner dans tout votre être...
>
> Continuez à écouter ces paroles... laissez-les vous lancer un défi, vous éveiller, vous inciter à répondre... jusqu'à ce que vous ne puissiez plus retenir votre réponse. Puis dites au Seigneur ce que vous dicte votre cœur.

Une lecture pieuse et fréquente des Écritures, en particulier du Nouveau Testament, enrichira grandement votre prière et votre vie. Vous découvrirez peu à peu les passages par lesquels le Seigneur paraît communiquer avec vous d'une manière spéciale.

Et souvent, au moment de la détresse et du besoin, de la joie ou de la solitude, le Seigneur vous redira ces mots en votre cœur, et ainsi entrera en contact avec vous. Et votre cœur brûlera comme celui des disciples d'Emmaüs, lorsqu'ils entendirent le Seigneur leur expliquer les paroles de l'Écriture.

Quarante-quatrième exercice : Les saints désirs

Voici une forme simple et délicieuse de prière qui s'inspire d'une formule souvent employée par saint Ignace : « prières et saints désirs. » Il dit aux jeunes jésuites qui étudient en vue du sacerdoce qu'ils doivent consacrer tout leur temps à leurs études, et qu'en conséquence ils n'auront pas beaucoup de temps pour prier. Qu'ils peuvent cependant compenser ce manque de temps par leurs *saints désirs* de faire de grandes choses pour Dieu et pour le bien de leur prochain. Il dit aux supérieurs de ses communautés que leur premier devoir de supérieurs est de *porter leur communauté sur leurs épaules* par leurs prières (prières d'intercession en faveur des membres de leur communauté) et leurs saints désirs (en désirant de grandes choses pour leur communauté).

Ignace lui-même était un homme de grands et intenses désirs, qui ont fait de lui un saint remarquable. Au temps de sa conversion, il s'adonnait à un exercice que l'on pourrait très bien qualifier de *pieuse rêverie* par lequel il nourrissait ses désirs de faire de grandes choses pour Dieu : il se représentait en imagination lancé dans de grandes et difficiles entreprises pour Dieu. Il se rappelait les grands exploits des saints et se disait à lui-même : « Saint François a fait telle ou telle chose pour le Seigneur ; je ferai davantage... » Il nous dit qu'il tirait de ce saint exercice un sentiment de paix, de dévotion et de force qu'il qualifiera plus tard de consolation spirituelle.

Sainte Thérèse d'Avila, elle aussi, insiste beaucoup pour qu'on entretienne expressément de grands désirs. Elle le faisait surtout auprès des débutants. Elle dit : Qu'ils commencent par éprouver un sentiment d'allégresse et de liberté, avec grand courage, remplis de désirs d'exceller au service de Dieu, vu que Sa Majesté aime les âmes courageuses et intrépides.

Voilà qui témoigne d'un bon sens psychologique. On ne peut guère réaliser ce qu'on ne peut même pas voir en imagination. Pour faire grand, il faut du désir et de la vision.

Le présent exercice comprend deux parties. La première traite des saints désirs pour les autres ; la seconde, des saints désirs pour vous-même.

> Placez devant Dieu les désirs que vous avez pour chacune des personnes pour qui vous voulez prier... Imaginez que chacune d'elles possède ce que vous désirez pour elle... Vous n'avez pas à faire une prière explicite pour elles ; il suffit que vous présentiez à Dieu vos saints désirs... et que vous voyiez ces désirs exaucés.

Ce que vous venez de faire pour des individus, faites-le maintenant pour des familles, des groupes, des communautés... pour des nations, pour l'Église... Ayez le courage de vaincre tout défaitisme et tout pessimisme, de désirer et d'espérer de grandes choses... et de les voir réalisées de fait par la toute-puissance de Dieu...

Maintenant, placez devant Dieu les désirs que vous avez pour vous-même; exposez-lui toutes les grandes choses que vous désirez accomplir à son service... Il ne fait rien à l'affaire que vous ne les accomplissiez jamais ou que vous vous en sentiez incapable... L'important, c'est que vous réjouissiez le cœur de Dieu en lui montrant que, malgré le peu de force que vous avez, vos désirs sont immenses... C'est ainsi que parlent les amoureux quand ils expriment l'immensité de leurs désirs qui surpasse de beaucoup leurs aptitudes limitées...

Autre manière de faire cet exercice: Imaginez les grands exploits de certains saints, de saint Paul, de saint François-Xavier, ou de quelque autre saint que vous aimez et admirez... Faites vôtres ces grands exploits, en les désirant, en les voulant, voire en les accomplissant en imagination... Identifiez-vous aux saints si aimants... Imaginez que vous-même, par la grâce de Dieu, vous faites tout ce qu'ils ont fait, vous endurez tout ce qu'ils ont enduré pour l'amour de Dieu... et donnez libre cours en imagination aux ardents désirs que votre faiblesse vous empêchera de réaliser...

Puis, exprimez à Dieu vos désirs pour la journée qui commence... tout ce que vous désirez accomplir à son service. Imaginez que, effectivement, vous êtes ce que vous désirez être et agissez comme vous désirez agir...

Dans un monde qui accorde tellement d'importance à la réussite, nous sommes enclins à négliger la valeur énorme des désirs, surtout lorsqu'ils ne se réalisent pas immédiatement.

Quarante-cinquième exercice :
Tout centrer sur Dieu

Lorsque les disciples de Jésus lui demandèrent de leur enseigner à prier, il leur apprit à dire : « Père du ciel, que ton nom soit sanctifié, que ton règne vienne, que ta volonté soit faite... » Il commence par le Père, par le règne du Père, les intérêts du Père. Nous sommes habitués à voir en Jésus un homme pour les autres, et il l'était en vérité. Mais nous sommes enclins à ne pas remarquer qu'il était avant tout un homme pour son Père. Il était essentiellement un homme centré sur Dieu.

Il y a danger qu'aujourd'hui nous devenions trop centrés sur l'homme. Nous partageons peu les sentiments du psalmiste, qui regarde les montagnes d'où lui viendra le secours. Il y a danger que nous soyons trop rivés à la terre et que nous perdions de vue dans nos vies le transcendant sans lequel l'homme cesse d'être pleinement homme.

Le présent exercice nous aidera à centrer davantage nos vies sur Dieu.

> Dressez une liste de tous vos désirs, dans la mesure où vous pouvez vous les rappeler : les grands désirs, les modestes désirs, les désirs « romantiques », les désirs prosaïques...
>
> Dressez une liste des problèmes avec lesquels vous êtes aux prises : problèmes de famille, problèmes de travail, problèmes de personnalité...
>
> Maintenant, demandez-vous : Quelle part est-ce que j'attribue à Dieu dans la réalisation de mes désirs ?
>
> Y joue-t-il un rôle ? Quel rôle ? Suis-je content du rôle qu'il remplit ? L'est-il, lui ?
>
> Puis, demandez-vous : Quelle part est-ce que j'accorde à Dieu dans la solution des problèmes que j'aborde couramment ?... Dans quelle mesure est-ce que je compte sur lui pour les résoudre ?... Quelle confiance ai-je en lui ?...
>
> Autre question : Où Dieu apparaît-il dans ma liste de désirs ?... Est-il lui-même une chose que je désire ? À quel point ?...
>
> Où la quête de Dieu figure-t-elle dans ma liste de problèmes ?...
>
> Prenez un désir et un problème à la fois. Demandez-vous : Comment est-ce que je m'efforce de réaliser ce désir ? Comment est-ce que je m'efforce d'ordinaire de résoudre ce problème ? Répondez en vous servant de votre imagination : représentez-vous vous-même en train de faire des démarches pour combler vos désirs et résoudre vos problèmes... Remarquez tous les moyens que vous utilisez pour y arriver...

Soumettez chacun de ces *moyens* à Dieu et à son influence... Ce qui importe c'est de les *soumettre*, non pas d'obtenir des résultats... Représentez-vous chaque action, chaque pensée, etc., comme venant de Dieu et se dirigeant vers lui... Remarquez vos sentiments pendant que vous faites cet exercice.

Quarante-sixième exercice : La vive flamme d'amour

J'ai puisé l'idée de cet exercice dans l'admirable ouvrage : LE NUAGE D'INCONNAISSANCE, qui parle avec tant de charme d'un tourbillon aveugle d'amour qui s'élève en nos cœurs et monte vers Dieu.

Faites le calme en vous pendant quelques instants, à l'aide d'un des exercices de prise de conscience...

Imaginez que vous descendez dans les profondeurs mêmes de votre être, ou en son centre. Tout n'y est que ténèbres... mais vous découvrez là une fontaine qui bouillonne vers Dieu... Ou imaginez que vous trouvez là une flamme vive d'amour qui s'élance vers Dieu...

Choisissez un mot ou une formule très brève qui suive le rythme de cette flamme ou de cette fontaine... le nom de Jésus... ou Abba... ou Viens, Esprit-Saint... ou Mon Dieu et mon tout...

Écoutez ce mot prononcé dans les profondeurs de votre être...

Ne le prononcez pas. Vous l'entendez faiblement, comme s'il venait de très, très loin... des profondeurs mêmes de votre être...

Maintenant, imaginez que le son grandit et peu à peu se met à remplir tout votre être, si bien que vous l'entendez dans votre tête, votre poitrine, votre estomac... dans tout votre corps...

Après quelque temps, imaginez que vous l'entendez remplir toute la pièce... puis, tous les environs... devenir encore plus intense et remplir toute la terre et le ciel... en sorte que tout l'univers résonne de ce mot sorti des profondeurs de votre cœur...

Reposez-vous dans ce mot... et cette fois-ci, si cela vous agrée, prononcez-le vous-même avec amour...

Quarante-septième exercice : La prière de louange

Si j'avais à choisir la forme de prière qui rende le plus sensible la présence du Christ dans ma vie et qui me donne davantage un sentiment profond d'être soutenu et entouré par la Providence aimante de Dieu, je choisirais sans hésiter la dernière forme de prière que je propose dans le présent livre, la prière de louange. Je la choisirais également à cause de la grande paix et de la grande joie qu'elle m'a souvent values en temps de détresse. Cette prière consiste, tout simplement, à louer et à remercier Dieu pour toutes choses. Elle a comme fondement la pensée que rien ne survient dans notre vie sans que Dieu ne l'ait prévu et voulu, absolument rien, pas même nos péchés.

Il est évident que Dieu ne veut pas le péché. Il est évident qu'il n'a pas voulu le plus grand de tous, la mise à mort de Jésus Christ. Et cependant l'Écriture, à notre grand scandale, nous dit et nous redit que la Passion du Christ *était écrite* et qu'il devait la subir. C'est ce que confirme saint Pierre dans son sermon aux Juifs : «... cet homme, selon le plan bien arrêté et la prescience de Dieu, vous l'avez livré et supprimé en le faisant crucifier par la main des impies...» (Act 2, 23) La mise à mort du Christ était donc prévue et voulue.

Le péché est sans doute quelque chose que nous devons détester et éviter. Et cependant, nous devons louer Dieu même pour nos péchés, après nous en être repentis, parce qu'il saura en tirer un grand bien. Voilà pourquoi l'Église, dans une sorte d'extase d'amour, chante dans la liturgie de Pâques : «Ô heureuse faute... Ô péché nécessaire d'Adam!» Et saint Paul dit explicitement aux Romains : «... là où le péché a proliféré, la grâce a surabondé... Qu'est-ce à dire? Nous faut-il demeurer dans le péché afin que la grâce abonde? Certes non!» (Rom 5; 20; 6; 1).

Voilà une chose à laquelle nous n'osons guère penser : remercier et louer Dieu même pour nos péchés ! Il est juste que nous regrettions nos péchés. Mais, après l'avoir fait, nous devons apprendre aussi à louer Dieu pour ces péchés. Si Hérode et Pilate s'étaient convertis, ils se seraient sûrement repentis pour le rôle qu'ils avaient joué dans la Passion. Ils auraient pu louer Dieu également pour avoir entraîné la mort et la résurrection du Christ par le rôle qu'ils avaient joué dans la Passion.

J'ai connu tant de personnes qui parcourent la vie en portant dans leur cœur un poids de culpabilité à cause des péchés qu'ils ont commis. Un homme m'a dit qu'il se sentait profondément coupable, non pas à cause de ses fautes, qu'ils savaient pardonnées, mais parce qu'il était arrivé quelques minutes en retard au chevet de son père mourant. Malgré tous ses efforts, il ne parvenait pas à se défaire de ce sentiment de culpabilité. Quel immense soulagement et quelle paix ce fut pour lui quand je réussis à obtenir de lui qu'il remercie et loue le Seigneur pour être arrivé en retard au chevet de son père ! Il a senti tout à coup que tout allait pour le mieux, que tout était dans les mains de Dieu, que Dieu saurait tirer parti même de ce retard pour réaliser du bien...

Faites vous-même l'essai de l'exercice suivant.

> Songez à quelque chose du passé ou du présent qui vous cause de la peine et de l'affliction, un sentiment de culpabilité ou de frustration...

> Si de quelque façon vous méritez d'être blâmé, exprimez au Seigneur votre regret et votre repentir...
>
> Maintenant, remerciez Dieu explicitement, louez-le pour cela... Dites-lui que vous croyez que même cet acte entre dans son dessein sur vous, qu'il saura en tirer grand bien pour vous et pour d'autres, même si vous ne voyez pas comment il le fera...
>
> Laissez cet incident et tous les autres de votre vie passée, présente et à venir entre les mains de Dieu... et reposez-vous dans la paix et le soulagement que cela vous procurera.

Cet abandon est tellement conforme à ce que saint Paul enseignait à ses chrétiens: « Soyez toujours dans la joie, priez sans cesse, rendez grâce en *toutes circonstances*, car c'est la volonté de Dieu à votre égard dans le Christ Jésus. » (1 Thess 5, 16) « Dites ensemble des psaumes, des hymnes et des chants inspirés; chantez et célébrez le Seigneur de tout votre cœur. *En tout temps, à tout sujet*, rendez grâce à Dieu le Père au nom de notre Seigneur Jésus Christ. » (Éph 5, 19-20) « Réjouissez-vous dans le Seigneur en tout temps; je le répète, réjouissez-vous. ... Ne soyez inquiets de rien, mais en toute occasion, par la prière et la supplication accompagnées *d'action de grâces*, faites connaître vos demandes à Dieu. Et la paix de Dieu, qui surpasse toute intelligence, gardera vos cœurs et vos pensées en Jésus Christ. » (Phil 4, 4-7).

Certains craignent qu'en louant Dieu de toutes choses ils ne deviennent insouciants et fatalistes. Ce danger est plus théorique que pratique. Ceux qui pratiquent avec sincérité cette forme de prière savent que, de leur côté, ils font tout leur possible pour faire le bien et éviter le mal et que ce n'est qu'après ces efforts qu'ils louent Dieu pour le résultat, quel qu'il soit.

Le seul danger que je vois à cette forme de prière est non pas le fatalisme, mais le refoulement de nos émotions désagréables. Souvent il est nécessaire que nous commencions par déplorer nos pertes ou éprouver nos colères et nos frustrations, avant de louer Dieu et d'ouvrir nos cœurs à la joie et à la paix que cette prière nous procure.

Cette paix et joie deviendra pour nous une disposition assez habituelle, si nous nous accoutumons à louer constamment Dieu et à le remercier. Alors qu'auparavant nous devenions tendus et soucieux à cause des nombreuses déceptions que nous amenait la vie, même dans des situations sans importance (un train en retard, le mauvais temps au moment de sortir, une remarque déplacée que par distraction nous laissons tomber dans la conversation...), maintenant nous nous disposons calmement à faire notre possible et nous abandonnons de bon coeur tout le reste entre les mains de Dieu, sachant que, malgré les apparences, tout ira bien.

Les Chinois racontent l'histoire d'un vieux fermier qui possédait un vieux cheval avec lequel il labourait ses champs. Un jour, le cheval s'enfuit vers les collines. Aux voisins qui le prenaient en sympathie le vieillard répondit: «Chance? Malchance? Qui sait?» Une semaine plus tard, le cheval revint des collines avec un troupeau de chevaux sauvages, et cette fois les voisins félicitèrent le fermier de sa bonne chance. Il répondit encore: «Bonne chance? Malchance? Qui sait?» Puis, lorsque son fils, en voulant dompter un des chevaux sauvages, fit une chute et se brisa la jambe, tout le monde crut que c'était une grande malchance. Le fermier, lui, se contenta de dire: «Malchance? Bonne chance? Qui sait?» Quelques semaines plus tard, l'armée entra dans le village et mobilisa tous les jeunes gens valides. Quand ils aperçurent le fils du fermier avec sa jambe cassée, ils le dispensèrent du service. Était-ce de la chance? De la malchance? Qui sait?

Tout ce qui, à première vue, semble être un mal peut, en fait, être un bien déguisé. Et tout ce qui, à première vue, semble un bien peut en réalité être un mal. Il est donc sage de laisser Dieu décider de notre bonne chance comme de notre malchance, et de le remercier de faire tourner toutes choses au bien de ceux qui l'aiment.

Et alors, nous partagerons un peu cette merveilleuse vision mystique de Julienne de Norwick qui prononçait ces mots qui pour moi sont les plus ravissants et les plus doux que j'aie jamais lus: «Et toute chose sera bien; et toute chose sera bien; et toute espèce de chose sera bien!»

TABLE DES MATIÈRES

RECOURS À L'IMAGINATION

LA DÉVOTION